CORMAC McCARTHY

DROGA

Przełożył
ROBERT SUDÓŁ

Wydawnictwo Literackie

Tytuł oryginału
The Road

ISBN 978-83-08-04178-9

Książkę tę dedykuję
Johnowi Francisowi McCarthy'emu

Obudził się zimną nocą w lesie, wyciągnął rękę i dotknął śpiącego obok dziecka. Noce ciemniejsze od ciemności, każdy nowy dzień bardziej szary od poprzedniego. Jakby to był atak jakiejś lodowatej jaskry, zacierającej obraz świata. Jego dłoń wznosiła się i opadała łagodnie wraz z każdym bezcennym oddechem. Odgarnął foliową plandekę, podźwignął się w cuchnącym ubraniu i kocach, po czym spojrzał na wschód w poszukiwaniu jakiegokolwiek światła, ale żadnego nie było. We śnie, z którego właśnie się ocknął, dziecko zaprowadziło go za rękę do pieczary. Światło lampy zatańczyło na mokrej polewie naciekowej. Byli niczym pielgrzymi z podań, połknięci przez jakąś granitową bestię, zagubieni w jej wnętrznościach. W głębokich żłobinach kapała i szemrała woda, bez ustanku wybijając w ciszy minuty i godziny ziemskiego czasu, dni i lata. Wreszcie stanęli w wielkiej kamiennej sali, gdzie leżało pradawne czarne jezioro. A na przeciwległym brzegu czekał stwór, który podniósł znad marmitu ociekającą wodą paszczę i łypnął ku światłu martwymi mlecznymi ślepiami, podobnymi do jaj pająków. Zakołysał łbem nad taflą, jak gdyby chciał wchłonąć woń tego, czego nie mógł zobaczyć. Przycupnął tam, blady, nagi, półprzezroczysty, rzucający na skały cień swych alabastrowych kości. Flaków i bijącego serca. Mózgu, który pulsował w matowym szklanym kloszu. Zabujał łbem na boki, stęknął grubym głosem, a potem odwrócił się i pomknął bezszelestnie susami w mrok.

O pierwszym brzasku wstał i zostawiwszy śpiącego chłopca, wyszedł na drogę, gdzie przysiadł i zaczął obserwować teren na południu. Jałowa, cicha, zapomniana przez Boga kraina. Sądził, że jest październik, ale pewności nie miał. Od lat nie prowadził kalendarza. Zmierzali na południe. Tutaj nie przetrwaliby kolejnej zimy.

Gdy rozwidniło się na tyle, że mógł użyć lornetki, zlustrował dolinę leżącą poniżej. Świat zacierał się w półmroku. Nad asfaltem przetaczały się rozrzedzone kłęby miałkiego popiołu. Obserwował uważnie wszystko, co było widoczne. Odcinki szosy w oddali, pośród uschniętych drzew. Wypatrywał jakichkolwiek kolorów. Ruchu. Smug wznoszącego się dymu. Opuścił lornetkę, ściągnął z twarzy bawełnianą maskę i wierzchem dłoni wytarł nos, a potem znów zaczął obserwować okolicę. Później po prostu siedział, trzymając w ręku lornetkę, patrząc, jak popielaty dzień gęstnieje nad ziemią. Wiedział tylko, że dziecko to jego racja bytu. Powiedział: Jeśli nie jest słowem Bożym, to Bóg nigdy nie przemówił.

Gdy wrócił, chłopiec wciąż spał. Zdjął z niego niebieską plandekę, złożył ją, wyniósł na dwór i spakował do wózka sklepowego, następnie wziął talerze, parę ciasteczek z mąki kukurydzianej i syrop w plastikowej butelce. Rozpostarł na ziemi małą folię, która służyła im za stół, rozstawił wszystko, a potem wyjął rewolwer zza paska i położył go na folii, w końcu usiadł i patrzył na śpiące dziecko. Ściągnęło w nocy maskę, która zagrzebała się w koce. Przyglądał się chłopcu, zerkając raz po raz na drogę między drzewami. To nie była bezpieczna kryjówka. Teraz, za dnia, mogli zostać wypatrzeni z szosy. Chłopiec obrócił się w kocach. A potem otworzył oczy. Cześć, tatusiu, powiedział.

Jestem przy tobie.

Wiem.

Godzinę później byli już w drodze. Mężczyzna pchał wózek; obaj nieśli plecaki. W plecakach znajdowało się najważniejsze wyposażenie. Na wypadek gdyby musieli porzucić wózek i ratować się ucieczką. Do rączki wózka przymocowane było chromowane lusterko od motocykla, za pomocą którego mężczyzna obserwował drogę z tyłu. Nasunął plecak wyżej na ramiona i rozejrzał się po jałowej okolicy. Droga była pusta. Niżej, w płytkiej dolinie, nieruchoma serpentyna szarej rzeki. Zastygła i wyrazista. Wzdłuż brzegu brzemię martwych trzcin i krzewów. Dobrze się czujesz?, spytał. Chłopiec skinął głową. Ruszyli dalej asfaltową szosą w szarym świetle, szurając nogami w popiele, jeden całym światem drugiego.

Starym betonowym mostem przekroczyli rzekę, a po kilku kilometrach dotarli do przydrożnej stacji benzynowej. Stanęli pośrodku szosy i się rozglądali. Chyba powinniśmy tam wejść, powiedział mężczyzna. Zajrzeć. Chwasty, przez które się przedarli, padły dokoła w kurz. Pokonali spękaną asfaltową zatoczkę i znaleźli zbiornik zaopatrujący dystrybutory. Pokrywa znikła, więc mężczyzna osunął się na kolana i powąchał rurę, ale słaba, zatęchła woń benzyny była tylko echem przeszłości. Wstał i spojrzał na budynek. Dystrybutory — o dziwo z wężami na swoim miejscu. Okna nietknięte. Drzwi do warsztatu były otwarte, więc wszedł. Przy jednej ścianie metalowa szafa z narzędziami. Przeszukał szuflady, lecz nie znalazł niczego, co mogłoby się przydać. Dobre półcalowe nasadki przelotowe. Grzechotka. Rozejrzał się po warsztacie. Metalowa beczka pełna śmieci. Wszedł do biura. Dokoła kurz i popiół.

Chłopiec stał w drzwiach. Metalowe biurko, kasa. Jakieś stare podręczniki samochodowe, napuchłe i zawilgocone. Poplamione linoleum, pofałdowane pod nieszczelnym dachem. Mężczyzna zbliżył się do biurka i przystanął. Następnie wziął do ręki słuchawkę i wykręcił numer do ojcowskiego domu sprzed wielu lat. Chłopiec patrzył. Co robisz?, spytał.

Niecały kilometr dalej mężczyzna zatrzymał się i spojrzał do tyłu. Nie przemyśleliśmy tego, powiedział. Musimy wrócić. Zepchnął wózek z szosy i przechylił go na bok w miejscu, gdzie był niewidoczny z drogi. Zostawili plecaki i poszli na stację. W warsztacie wytoczył metalową beczkę ze śmieciami, przewrócił ją i wygarnął wszystkie plastikowe butelki po oleju. Następnie usiedli na podłodze i zaczęli opróżniać po kolei butelki z osadu, stawiając do góry dnem w rondlu, aż wreszcie zebrali prawie pół litra oleju silnikowego. Przelali go do butelki. Mężczyzna nałożył zakrętkę, szmatą wytarł butelkę i zważył ją w dłoni. Olej do małego lampidła, by oświetliło długie szare zmierzchy, długie szare brzaski. Będziesz mógł mi poczytać, powiedział chłopiec. Prawda, tatusiu?

Prawda, odparł.

Na przeciwległym krańcu doliny szosa biegła przez czarne pogorzelisko. Po obu stronach ciągnęły się zwęglone i ogołocone z gałęzi pnie. Przez drogę przetaczał się popiół, a obwisłe wąsy drutu rozpiętego między poczerniałymi słupami pojękiwały cicho na wietrze. Spalony dom na polanie, a dalej pas łąk, nagich i szarych, i nie dokończony czerwony nasyp, gdzie przerwano roboty drogowe. Jeszcze dalej billboardy reklamujące motele. Wszystko tak jak niegdyś, tyle że wyblakłe i zwietrzałe. Stanęli na szczycie wzgórza, żeby złapać oddech, wystawieni na zimno i wiatr. Spojrzał na chłopca. Nic mi nie jest, tatusiu. Mężczyzna położył mu rękę na ramieniu i kiwnięciem głowy wskazał otwartą krainę rozciągniętą poniżej. Wyjął z wózka lornetkę i zlustrował równinę, gdzie w szarym powietrzu majaczyły zarysy miasta przypominające szkic węglem na tle pustkowia. Nic nie przyciągało oka. Żadnego dymu. Mogę popatrzeć? Tak, oczywiście, że możesz. Chłopiec oparł się o wózek i wyregulował ostrość. Widzisz coś?, spytał mężczyzna. Nic. Chłopiec opuścił lornetkę. Pada. Tak, wiem.

Przykryty plandeką wózek zostawili w wąwozie i ruszyli stromizną wśród ciemnych pni do miejsca, gdzie mężczyzna dostrzegł półkę skalną. Usiedli tam pod nawisem i patrzyli, jak przez dolinę gnają tafle szarego deszczu. Było bardzo zimno. Okutani w koce naciągnięte na kurtki, siedzieli przytuleni do siebie. Po chwili deszcz ustał — tylko krople kapały z drzew.

Gdy się przejaśniło, poszli do wózka, ściągnęli plandekę i wyjęli koce oraz inne przedmioty potrzebne im na noc. Wrócili na wzgórze i rozłożyli się obozem na suchej ziemi pod nawisem skalnym. Mężczyzna przytulił chłopca, żeby go ogrzać. Zawinięci w koce, patrzyli na bezimienny zmrok, który wkrótce miał ich spowić ciemnością. Pod naporem nocy szare zarysy miasta znikły jak przywidzenie, więc mężczyzna zapalił małą lampę i ustawił ją poza zasięgiem wiatru. Potem wyszli na drogę. Wziął chłopca za rękę i dotarli na szczyt wzgórza, gdzie wznosiła się szosa i skąd mieli rozległy widok na ciemniejącą krainę na południu. Wystawieni na wiatr, okutani w koce, wypatrywali najmniejszego blasku ognia lub lampy. Nic. Ich lampa, ustawiona pod skałami na zboczu, wydawała się ledwie kroplą światła; po chwili wrócili. Było za mokro, żeby rozpalić ognisko. Zjedli lichy zimny posiłek i ułożyli się do snu, stawiając lampę między sobą. Mężczyzna wyjął książeczkę, ale chłopiec był zbyt zmęczony, żeby słuchać. Możemy zostawić lampę zapaloną, dopóki nie usnę?, spytał. Oczywiście, że możemy.

Długo nie mógł zasnąć. Po chwili odwrócił się i spojrzał na mężczyznę. W nikłym świetle buzia prążkowana na czarno strużkami deszczu jak twarz Tespisa z dawnego świata. Mogę cię o coś spytać?

Tak, oczywiście.
Umrzemy?
Kiedyś tak. Ale nie teraz.
Idziemy na południe?
Tak.
Więc będzie nam ciepło.
Tak.
Dobrze.
Co dobrze?
Nic, po prostu dobrze.
Śpij już.
Dobrze.
Zdmuchnę lampę, dobrze?
Tak. Dobrze.
A potem w ciemności: Mogę o coś spytać?
Tak. Oczywiście, że możesz.
Co byś zrobił, gdybym umarł?
Gdybyś umarł, to też chciałbym umrzeć.
Żebyśmy byli razem?
Tak. Żebyśmy byli razem.
Dobrze.

Leżał zasłuchany w wodę kapiącą z drzew. Skała macierzysta, to. Zimno i cisza. Popioły umarłego świata niesione tu i tam przez posępny, ziemski wiatr. Niesione, rozdmuchiwane, niesione dalej. Wszystko oderwane od swego podłoża. Zawieszone w popielatym powietrzu. Podtrzymywane przez tchnienie, drżące i krótkotrwałe. Ach, gdyby moje serce było z kamienia.

Obudził się przed świtem i obserwował szary brzask. Powolny i mętny. Podniósł się, gdy chłopiec jeszcze spał, włożył buty i okutany w koc ruszył między drzewa. Zszedł w wąwóz krasowy — tam ukucnął i długo kaszlał. A potem ukląkł w popiele. Podniósł twarz do jaśniejącego dnia. Jesteś tam?, wyszeptał. Czy wreszcie cię zobaczę? Czy masz szyję, żebym mógł cię udusić? Czy masz serce? Bądź przeklęty na wieki, czy masz duszę? O Boże, szeptał, o Boże.

Nazajutrz w południe przeszli przez miasto. Rewolwer miał pod ręką, na zwiniętej plandece przykrywającej wózek. Chłopca trzymał przy sobie. Miasto było w większości spalone. Żadnych oznak życia. Samochody na ulicach oblepione popiołem, wszystko pokryte popiołem i kurzem. Skamieniałe ślady w wyschniętym błocie. W niszy drzwi trup wysuszony na wiór. Krzywiący się na widok dnia. Mężczyzna przyciągnął chłopca do siebie. Pamiętaj, że to, co wpuszczasz do głowy, pozostaje w niej na zawsze, powiedział. Warto, byś się nad tym zastanowił.

Ale czasem przecież coś zapominamy, prawda?

Tak. Zapominamy to, co chcemy pamiętać, a pamiętamy to, o czym chcielibyśmy zapomnieć.

W odległości półtora kilometra od farmy wuja znajdowało się jezioro, na które zwykle wybierali się jesienią po drewno na opał. Siedział na tyle łodzi, przesuwając dłonią w zimnej wodzie, a wuj pochylał się nad wiosłami. Stopy starego człowieka w czarnych dziecięcych butach ustawione na podpórkach. Słomiany kapelusz. Fajka z kaczana kukurydzy w zębach, niteczka śliny zwisająca z główki. Wuj odwrócił się, by spojrzeć na odległy brzeg, przyciskając wiosła do piersi, wyjmując fajkę z ust, by otrzeć podbródek wierzchem dłoni. Na brzegu rosły brzozy, które wydawały się białe jak kości na tle ciemnych iglaków w głębi. Na samym skraju jeziora gąszcz poskręcanych pniaków, szarych i zbutwiałych — pozostałość po drzewach wywróconych lata wcześniej przez huragan. Korony drzew dawno pocięto piłami i zabrano na opał. Wuj obrócił łódź i wciągnął wiosła — dryfowali nad piaszczystą płycizną, dopóki pawęż nie zaszurała o dno. W przejrzystej wodzie kołysał się brzuchem do góry martwy okoń. Żółte liście. Buty zostawili na nagrzanych pomalowanych deskach, wciągnęli łódź na brzeg i zarzucili kotwicę. Była nią puszka po słoninie zalana betonem, ze śrubą oczkową w środku. Ruszyli brzegiem, wuj wpatrując się w pnie drzew, pykając z fajki, niosąc na ramieniu zwój konopnego sznura. Wreszcie wybrał pień, więc przewrócili go, szarpiąc za korzenie, i dowlekli do wody. Spodnie podwinęli do kolan, ale i tak się zamoczyły. Przywiązali koniec sznura do kołka na tyle łodzi i powiosłowali z powrotem przez jezioro, ciągnąc pomału pień za sobą. Nastał już wieczór. Powolny, miarowy mozół i skrzypienie dulek. Ciemna szklana tafla jeziora i światła w oknach na brzegu. Gdzieś tam grało radio. Milczeli obaj. To był idealny dzień jego dzieciństwa. Dzień, który nadał ton późniejszym dniom.

W następnych dniach i tygodniach ciągnęli na południe. Samotni, uparci. Surowa górzysta kraina. Domy obłożone aluminium. Czasami zza kęp odrastających drzew ukazywały się odcinki leżącej niżej autostrady międzystanowej. Zimno, coraz zimniej. Stanęli na górskiej przełęczy i patrzyli na wielką otchłań na południu, gdzie jak okiem sięgnąć ciągnęła się spalona kraina, z łach popiołu sterczały poczerniałe sylwetki skał, a kłęby pyłu wzbijały się i przetaczały w dal przez pustkowie. Szlak matowego słońca poruszającego się niewidzialnie za zasłoną pomroki.

Całymi dniami przemierzali spieczoną ziemię. Chłopiec znalazł kredki, więc dorysował kły na swojej masce i szedł dalej bez słowa skargi. Jedno z przednich kółek wózka się zwichrowało. Co z tym zrobić? Nic. Świat spalony na popiół, nie ma jak rozniecić ognia, noce dłuższe, ciemniejsze i zimniejsze niż wszystko, czego dotąd doświadczyli. Od tego zimna pękały kamienie. Życie uchodziło z człowieka. Tulił trzęsącego się chłopca i liczył w mroku każdy słaby oddech.

Obudził się na dźwięk odległego grzmotu i usiadł. Dokoła jarzyło się słabe światło, drżące, pozbawione źródła, załamujące się w deszczu nawiewanej sadzy. Naciągnął plandekę na siebie i chłopca i leżał długo, nasłuchując. Jeśli przemokną, nie będą mogli wysuszyć się przy ogniu. Jeśli przemokną, najprawdopodobniej umrą.

Nocami budził się w ciemności, która była oślepiająca i nieprzenikniona. W ciemności tak wielkiej, że uszy bolały od nasłuchiwania. Musiał często wstawać. Żadnych odgłosów oprócz wiatru wśród poczerniałych nagich drzew. Podniósł się i dreptał w miejscu, w zimnym autystycznym mroku, z rękoma wyciągniętymi na boki dla zachowania równowagi, a w jego czaszce roiły się obliczenia błędnika przedsionkowego. Stara kronika. Żeby utrzymać pion. Bez upadku, tylko postępująca pochyłość. Pomaszerował w nicość, licząc kroki z myślą o powrocie. Oczy zamknięte, ręce wystawione. Utrzymać pion w stosunku do czego? Czegoś bezimiennego w nocy, skały macierzystej albo żyły rudnej. Wobec czego on i gwiazdy są wspólnym satelitą. Jak wielkie wahadło w rotundzie, przez cały długi dzień odznaczające ruchy wszechświata, o którym można powiedzieć, że ono niczego nie wie, a jednak wiedzieć musi.

Po dwóch dniach pokonali spopieloną krainę. Dalej droga biegła granią górskiego pasma, a po obu stronach rzedł jałowy las. Śnieg pada, powiedział chłopiec. Mężczyzna spojrzał na niebo. Ku ziemi przedzierał się pojedynczy szary płatek. Chłopiec złapał go w dłoń i patrzył, jak niknie niczym ostatnia hostia chrześcijaństwa.

Wędrowali pod plandeką. Znikąd padały wirujące szare płatki. Na poboczu szara breja. Czarna woda wypływająca spod zasp namokłego popiołu. Żadnych ognisk na odległych graniach. Pomyślał, że krwawe kulty najpewniej pożarły siebie nawzajem. Nikt nie wędrował tą drogą. Ani śladu rozbójników, maruderów. Po chwili dotarli do przydrożnego warsztatu samochodowego, stanęli w otwartych drzwiach i patrzyli na szary śnieg z deszczem zacinający z wyżyn.

Zebrali kilka starych pudeł i rozpalili ogień na podłodze. Znalazł narzędzia, opróżnił wózek i zabrał się do naprawiania koła. Wyciągnął sworzeń, ręczną wiertarką przewiercił tulejkę i wpasował kawałek rurki przycięty piłką do metalu. Następnie skręcił wszystko razem, postawił wózek i go wypróbował. Jeździł całkiem dobrze. Chłopiec obserwował wszystko na siedząco.

Rankiem ruszyli w dalszą drogę. Bezludna okolica. Skóra z dzika przybita do wrót stodoły. Wyleniała. Kłak zamiast ogona. W środku u krokwi wisiały trzy trupy, wyschłe i zakurzone wśród smug bladego światła. Może coś tutaj znajdziemy, powiedział chłopiec. Kukurydzę albo coś innego. Idziemy, odparł mężczyzna.

Najbardziej martwił się o buty. O buty i jedzenie. Zawsze jedzenie. W kącie starej wędzarni pokrytej gontem znaleźli szynkę wiszącą wysoko na rożnie. Wyglądała jak coś wydobytego z grobowca, tak była wyschnięta i pomarszczona. Wbił nóż. Pod spodem ciemnoczerwone, słone mięso. Pożywne i smaczne. Wieczorem upiekli szynkę na ogniu, grube plastry, które poddusili potem w puszce z fasolą. Później, już w nocy, obudził się, sądząc, że słyszy bębny dudniące pośród ciemnych niskich wzgórz. Ale potem wiatr zmienił kierunek i zapadła cisza.

W snach jego blada panna młoda wychodziła ku niemu spod baldachimu zielonych liści. Sutki oblepione gliną, żebra pomalowane na biało. Miała na sobie suknię z gazy, ciemne włosy upięła grzebieniami z kości słoniowej, grzebieniami z perłowej masy. Jej uśmiech, spuszczone oczy... Rankiem znowu padał śnieg. Nad głową małe paciorki z szarego lodu nanizane na przewodach świetlnych.

To wszystko budziło jego nieufność. Powiedział, że dla człowieka znajdującego się w niebezpieczeństwie właściwymi snami są sny o niebezpieczeństwie, a cała reszta to gnuśność i śmierć. Sypiał mało i kiepsko. Śnił o przechadzce po ukwieconym lesie, gdzie przed nimi, przed nim i chłopcem, przefruwały ptaki, a niebo miało boleśnie błękitny kolor, ale nauczył się budzić z tych syrenich światów. Leżał w ciemności, z przemijającym w ustach osobliwym smakiem brzoskwini z fantomowego gaju. Pomyślał, że jeśli pożyje dość długo, cały świat ulegnie ostatecznie zatracie. Tak jak konający świat, do którego wkraczają ociemniali ludzie — wszystko w nim powoli wyparowuje z pamięci.

Ze snów na jawie, tych na drodze, nie było przebudzenia. Brnął dalej. Pamiętał ją całą oprócz zapachu. Siedział z nią w operze, nachylając się do przodu, wsłuchując w muzykę. Pozłacane ślimacznice, kinkiety i fałdy wysokich, strzelistych kurtyn po obu stronach sceny. Trzymała jego rękę na swoim kolanie, a pod cienką tkaniną letniej sukni wyczuwał koronkę pończoch. Zatrzymać ten kadr. A teraz sprowadź swoją ciemność i zimno i niech cię szlag.

Uformował szczecinę z dwóch znalezionych szczotek, drutem przywiązał ją do wózka, żeby zmiatała sprzed kółek gałęzie na drodze, wsadził chłopca do koszyka i stanął na tylnej listwie, jakby powoził zaprzęgiem psów, po czym zaczęli zjeżdżać ze wzgórza, wzorem bobsleistów balansując ciałem na zakrętach. Po raz pierwszy od dawna zobaczył uśmiech na twarzy chłopca.

Na szczycie wzgórza był zakręt i odnoga. Stary szlak biegnący przez las. Zeszli z szosy, usiedli na ławce i patrzyli na dolinę, gdzie pofałdowana ziemia nikła w ziarnistej mgle. W dali jezioro. Zimne, szare, ociężałe w niecce ogołoconych wiejskich okolic.

Co to, tatusiu?

Tama.

Do czego ona służy?

Dzięki niej powstało jezioro. Zanim zbudowali tę tamę, była tam zwykła rzeka. Mając tamę, płynącą wodę można było wykorzystać do uruchomienia wielkich wiatraków zwanych turbinami, które wytwarzały prąd elektryczny.

Żeby było światło?

Tak, żeby było światło.

Możemy tam zejść i popatrzeć?

To chyba za daleko.

Czy tama będzie długo stała?

Sądzę, że tak. Jest z betonu. Pewnie przetrwa setki lat. Może nawet tysiące.

Myślisz, że w jeziorze są ryby?

Nie. W jeziorze nie ma niczego.

W odległej przeszłości gdzieś niedaleko tego miejsca obserwował sokoła pikującego na tle niebieskiego zbocza wysokiej góry, który kilem swej piersi uderzył w żurawia w samym środku klucza i porwał go nad rzekę, patykowatego, pokaleczonego — w nieruchomym jesiennym powietrzu smuga wyrwanych, zmiętoszonych piór.

Ziarniste powietrze. Którego smak nigdy nie nikł w ustach. Stali w deszczu jak zwierzęta gospodarskie. A potem ruszyli, kryjąc się pod plandeką przed jednostajną mżawką. Mokre i zmarznięte stopy, niszczejące buty. Na zboczach stare zboże, zgniłe i przygniecione do ziemi. Nagie drzewa na grani, surowe i czarne w deszczu.

A sny pełne kolorów. Czy śmierć może przyzywać inaczej? Po przebudzeniu zimnym świtem wszystko błyskawicznie obracało się w popiół. Niczym dawne malowidła ścienne w grobowcach wystawione nagle na światło dnia.

Minęła zła pogoda i zimno i wreszcie dotarli do doliny rzecznej na nizinie, z wciąż widocznymi pokawałkowanymi polami, na których wszystko obumarło do korzeni w wyjałowionej glebie. Maszerowali szosą. Wysokie domy z oblicówką. Blacha walcowana na dachach. Długa stodoła na polu, na jej spadzistym dachu reklama z wyblakłymi trzymetrowymi literami. Odwiedźcie Rock City.

Przydrożne żywopłoty przemienione w rzędy czarnych, poskręcanych cierni. Żadnych oznak życia. Zostawił chłopca na drodze, z rewolwerem w dłoni, a sam ruszył po starych schodkach z wapienia na ganek wiejskiego domu i osłaniając oczy ręką, zajrzał w okna. Wszedł do środka przez kuchnię. Śmieci na podłodze, stare gazety. Porcelana w kredensie, filiżanki wiszące na haczykach. Ruszył przedpokojem i zatrzymał się w drzwiach do salonu. W kącie zabytkowa fisharmonia. Telewizor. Liche tapicerowane meble, w tym ręcznie zbita z czereśniowego drewna szafa na ubrania. Skierował się na piętro i obszedł sypialnie. Wszystko pokrywał popiół. Pokój dziecięcy z pluszowym pieskiem na parapecie, wyglądającym przez okno do ogrodu. Przeszukał szafy. Ogołocił łóżka, wziął dwa dobre koce z wełny i zszedł na dół. W spiżarni stały trzy słoiki piklowanych pomidorów. Zdmuchnął kurz z pokrywek, przyjrzał się słoikom. Ktoś na pewno był tutaj wcześniej, lecz ich nie zabrał, i on w końcu też nie, wyszedł tylko z kocami zarzuconymi na ramię i ruszyli obaj w dalszą drogę.

Na obrzeżach miasta natknęli się na supermarket. Kilka starych samochodów na zaśmieconym parkingu. Zostawili wózek i weszli w zasłane odpadkami alejki. W dziale z warzywami znaleźli na dnie koszy kilka starych fasolek szparagowych i bardzo stare wyschnięte morele, przypominające własną karykaturę. Chłopiec trzymał się za plecami mężczyzny. Wyszli na dwór przez tylne drzwi. W zaułku za supermarketem stało parę wózków sklepowych, wszystkie okropnie pordzewiałe. Wrócili do środka, żeby poszukać innego wózka, ale żadnego nie znaleźli. Przy drzwiach zobaczyli dwa automaty z napojami, wywrócone i otwarte za pomocą łomu. Wszędzie w popiele leżały monety. Usiadł i wsunął rękę w mechanizmy wypatroszonych automatów i za drugim razem jego palce zacisnęły się na zimnym metalowym pojemniku. Wyciągnął rękę i spojrzał na puszkę coca-coli.

Co to jest, tatusiu?

Poczęstunek. Dla ciebie.

Ale co to jest?

Masz. Siadaj.

Zdjął chłopcu plecak, położył go na podłodze, wcisnął paznokieć kciuka pod aluminiowe ucho i otworzył puszkę. Przysunął nos do uwolnionego gazu, a potem podał napój chłopcu. Pij.

Chłopiec wziął puszkę. Pieni się, powiedział.

No pij.

Spojrzał na ojca, przystawił puszkę do ust i łyknął. Namyślał się chwilę. Dobre, rzekł.

Tak, dobre.

Masz trochę, tatusiu.

Chcę, żebyś ty to wypił.

Chociaż trochę.

Mężczyzna wziął puszkę, spróbował i oddał ją chłopcu. Ty wypij, powiedział. Posiedźmy tutaj.

To dlatego, że już nigdy więcej drugiej takiej nie wypiję?

Nigdy to bardzo długo.

Dobrze, powiedział chłopiec.

Nazajutrz o zmierzchu dotarli do miasta. Na tle odległej ciemności długie betonowe ślimaki autostrady międzystanowej wyglądały jak ruiny olbrzymiego lunaparku. Rewolwer trzymał na brzuchu za paskiem, a kurtkę miał rozpiętą. Wszędzie zasuszone trupy. Mięso popękane na kościach, ścięgna wyschnięte na rzemienie, podobne do naprężonych, rozpiętych drutów. Skurczeni i pomarszczeni jak mumie z bagien, twarze z ugotowanej folii, pożółkłe sztachety zębów. Każdy bosy niczym pielgrzym surowej zakonnej reguły, bo dawno skradziono im buty.

Szli dalej. Nieustannie zerkał w tylne lusterko. Jedynym ruchem na ulicach było rozwiewanie popiołu. Wysokim betonowym mostem przeszli rzekę. Poniżej była przystań. Małe łódki rekreacyjne zatopione do połowy w szarej wodzie. W dole rzeki wysokie kominy niewyraźne w deszczu sadzy.

Następnego dnia kilka kilometrów na południe od miasta natknęli się przy zakręcie drogi na zagubiony wśród zeschłych cierni stary dom z kominami, szczytami i kamiennym murem. Mężczyzna przystanął. Potem wepchnął wózek na podjazd.

Co to za miejsce, tatusiu?

Tutaj się wychowałem.

Chłopiec patrzył na dom. Z niższych części ścian oderwano na opał prawie całą oblicówkę, odsłaniając umocowania i izolację. Na betonowym tarasie leżała zardzewiała moskitiera z tylnego ganku.

Wchodzimy?

Czemu nie?

Ja się boję.

Nie chcesz zobaczyć, gdzie kiedyś mieszkałem?

Nie.

Wszystko będzie dobrze.

A jak tam ktoś jest?

Nie wydaje mi się.

A jak jest?

Mężczyzna patrzył na spadzisty dach, pod którym znajdował się jego pokój. Spojrzał na chłopca. Chcesz tu zaczekać?

Nie. Zawsze o to pytasz.

Przepraszam.

No wiem, ale zawsze pytasz.

Zsunęli plecaki, zostawili je na tarasie, przedarli się przez śmiecie na ganku i weszli do kuchni. Chłopiec trzymał go za rękę. Prawie wszystko takie jak dawniej. Puste pomieszczenia. W ciasnym pokoiku przy jadalni ogołocone łóżko polowe i metalowy składany stolik. Ta sama żeliwna krata w małym kominku. Ze ścian znikła sosnowa boazeria i pozostały tylko pasy okładziny. Stał w miejscu. Kciukiem wymacał dziurki po pinezkach w pomalowanym drewnianym gzymsie, z którego przed czterdziestu laty zwisały pończochy. Tutaj świętowaliśmy Boże Narodzenie, gdy byłem dzieckiem. Odwrócił się i spojrzał na spustoszone podwórko. Plątanina zeschłego bzu. Zarys żywopłotu. W chłodne zimowe noce, gdy burza zrywała druty wysokiego napięcia, siadaliśmy przy tym kominku, ja z siostrami, żeby odrabiać lekcje. Chłopiec patrzył na niego. Patrzył na niewidzialne zjawy odbierające mu ojca. Powinniśmy już iść, tatusiu. Tak, odparł mężczyzna. Ale stał w miejscu.

Przeszli przez jadalnię, gdzie cegły w palenisku były tak żółte, jak w dniu, gdy je ułożono, bo matka nie mogła ścierpieć widoku sadzy. Podłoga wypaczona od deszczówki. W salonie stos kości małego poćwiartowanego zwierzęcia. Chyba kota. Przy drzwiach szklaneczka. Chłopiec ściskał mężczyznę za rękę. Weszli po schodach, skręcili i zagłębili się w korytarz. Na podłodze małe kupki mokrego tynku. Odsłonięte listwy sufitowe. Stanął w drzwiach swojego pokoju. Niewielka przestrzeń pod okapem. Tutaj spałem. Łóżeczko było pod tamtą ścianą. Żeby nocami liczonymi w tysiące śnić sny dziecięcej wyobraźni, światy tak piękne lub przerażające, jakie tylko mogą być, ale żaden niepodobny do tego, który ostatecznie nastał. Mężczyzna otworzył szafkę, spodziewając się chyba, że zobaczy swoje rzeczy z dzieciństwa. Przez dach wpadało do środka zimne światło. Szare jak jego serce.

Tatusiu, powinniśmy już iść. Możemy iść?

Tak, możemy.

Ja się boję.

Wiem. Przepraszam.

Bardzo się boję.

Już dobrze. Nie trzeba było tu przychodzić.

Trzy dni później u podnóża gór na wschodzie obudził się w ciemności, słysząc narastający odgłos.

Leżał z rękoma ułożonymi po bokach. Ziemia drżała. Zbliżało się.

Tatusiu, odezwał się chłopiec. Tatusiu.

Ćśśś. Nic się nie dzieje.

Co to jest?

Nadchodziło, coraz głośniejsze. Wszystko dygotało. A potem przetoczyło się pod nimi jak wagony metra, pognało w noc i ucichło. Chłopiec tulił się do mężczyzny, płacząc, przyciskając głowę do jego piersi.

Ćśśś, już dobrze.

Bardzo się boję.

Wiem. Ale już dobrze. Już przeszło.

Co to było, tatusiu?

Trzęsienie ziemi. Ale już przeszło. Już dobrze. Ćśśś.

W pierwszych latach drogi zaludniali uchodźcy zakutani w warstwy ubrań. Łachmaniarze w maskach i goglach, siedzący na poboczach jak lotnicy po katastrofie. Ze stosami barachła na taczkach. Ciągnęli furmanki i wozy. Oczy rozbłysłe w czaszkach. Bezwyznaniowe ludzkie skorupy drepczące po szosach jak wysiedleńcy w kraju pustoszonym przez wojnę domową. Wreszcie odsłoniła się kruchość wszystkiego. Zadawnione problemy rozsądzone przez nicość i noc. Wraz z ostatnim egzemplarzem odchodzi cała kategoria rzeczy. Znika, gasi za sobą światło. Popatrz dokoła. Nigdy to bardzo długo. Lecz chłopiec wiedział to, co wiedział mężczyzna. Że nigdy to wcale.

Późnym popołudniem siedział w szarym świetle przy szarym oknie w opuszczonym domu i czytał stare gazety, a chłopiec spał. Osobliwe doniesienia. Niedzisiejsze troski. Kwiat wiesiołka zamyka się o ósmej. Patrzył na śpiącego chłopca. Potrafisz to zrobić, gdy nadejdzie pora? Potrafisz?

Przysiedli na drodze i zjedli zimny ryż i zimną fasolę, które ugotowali przed wieloma dniami. Zaczynały pleśnieć. Nie było miejsca, w którym mogliby rozpalić niewidoczny z oddali ogień. Spali w ciemności i zimnie, przywarci do siebie pod cuchnącą kołdrą. Mężczyzna tulił chłopca. Jaki wychudzony. Moje serce, powiedział. Moje serce. Zdawał sobie sprawę, że może być tak, jak mówiła. Że jeśli jest dobrym ojcem, tylko chłopiec stoi między nim a śmiercią.

Schyłek roku. Który miesiąc, właściwie nie wiedział. Liczył, że wystarczy im jedzenia, żeby przebyć góry, ale pewności nie miał. Przełęcz przy wododziale znajdowała się na wysokości tysiąca pięciuset metrów — będzie tam bardzo zimno. Powiedział, że ich los zależy od tego, czy dotrą na wybrzeże, ale obudziwszy się w nocy, uświadomił sobie, że wszystko to pusta gadanina. Istniało spore prawdopodobieństwo, że zginą w górach i tyle.

Minęli ruiny miasteczka uzdrowiskowego i obrali kierunek na południe. Przez całe kilometry spalone lasy, a śnieg wcześniej, niż się spodziewał. Żadnych śladów na drodze, żadnych żywych istot. Na gęsto zalesionych stokach poczerniałe od ognia głazy niczym sylwetki niedźwiedzi. Stanął na kamiennym mostku, gdzie woda zlewała się w bajoro i wirowała powoli w szarej pianie. Kiedyś obserwował tutaj pstrągi kołyszące się w nurcie, podążające śladem swych idealnych cieni na kamykach. Ruszyli dalej, chłopiec wlokąc się za mężczyzną. Pochyleni nad wózkiem, sunęli pomału serpentynami coraz wyżej. Hen w górach wciąż płonęły ognie, po zmroku widzieli ich poblask, głęboko pomarańczowy w opadającej sadzy. Było coraz zimniej, lecz przez całą noc palili ogniska i nawet ich nie gasili, gdy rankiem wyruszali w drogę. Stopy owinęli w płótno z worków związane postronkiem. Jak dotąd napadała tylko kilkucentymetrowa warstwa śniegu, jednak mężczyzna zdawał sobie sprawę, że jeśli go przybędzie, będą musieli zostawić wózek. Już teraz z trudem go pchał i często zatrzymywał się, żeby odpocząć. Poczłapał na pobocze, przystanął pochylony, z rękoma wspartymi na kolanach, i zakaszlał. Potem wyprostował się z załzawionymi oczami. Na szarym śniegu cienki nalot krwi.

Biwakowali przy głazie. Zbudował schronienie z plandeki rozpiętej na palikach. Rozpalili ognisko i zaczęli układać wielką stertę chrustu na całą noc. Ze splątanych suchych gałęzi choiny wyścielili matę i usiedli na niej okutani w koce, patrząc w ogień i pijąc resztki kakao wygrzebanego skądś przed tygodniami. Znowu padał śnieg, miękkie płatki zlatywały z ciemności. Mężczyzna przysnął w rozkosznym cieple. Przeciął go cień chłopca. Niosącego naręcze gałęzi. Patrzył, jak dogląda płomieni. Ziejący ogniem smok samego Boga. Iskry strzelały w górę i gasły w bezgwiezdnej nocy. Nie wszystkie obumierające słowa są prawdziwe, a to błogosławieństwo wcale nie jest mniej rzeczywiste przez to, że wydarto mu grunt.

Obudził się z nadejściem ranka, gdy ognisko już dogasało, i wyszedł na drogę. Wszystko było rozświetlone. Jakby wreszcie powróciło utracone słońce. Śnieg pomarańczowy i drżący. Powyżej pożar sunął po hubce zalesionych grani, jarząc się i migocząc na tle zachmurzonego nieba jak zorza polarna. Choć było zimno, mężczyzna stał nieruchomo przez długą chwilę. Ten kolor obudził w nim dawne wspomnienia. Sporządzić listę. Odmówić litanię. Pamiętać.

Zrobiło się jeszcze zimniej. Bezruch w tym świecie na wysokościach. Nad drogą zawisła silna woń dymu. Pchał wózek w śniegu. Codziennie po kilka kilometrów. Nie miał pojęcia, jak wysoko znajduje się szczyt. Jedli oszczędnie, cały czas odczuwając głód. Stanął i potoczył wzrokiem po okolicy. Głęboko w dole rzeka. Jak daleko już zaszli?

We śnie była chora, a on się nią opiekował. Sen tchnął ofiarnością, lecz on myślał inaczej. Nie troszczył się o nią; umarła gdzieś samotna w ciemności i nie ma żadnego innego snu ani innego świata na jawie, ani innej historii do opowiedzenia.

Na tej drodze nie ma bogomównych ludzi. Odeszli, ja zostałem, zabrali ze sobą świat. Pytanie: Czym się różni to, czego nigdy nie będzie, od tego, czego nigdy nie było?

Ciemność niewidzialnego Księżyca. Noce tylko odrobinę mniej czarne. Za dnia skazane na banicję Słońce okrąża Ziemię niczym zbolała matka niosąca lampę.

Ludzie siedzący o świcie na chodniku, nadpaleni i kopcący się w ubraniach. Jak niedoszli samobójcy z sekty. Inni przyjdą im z pomocą. W ciągu roku pojawiły się ognie na graniach i obłąkańcze śpiewy.

Wrzaski mordowanych. Za dnia umarli powbijani na pale przy drodze. Co zrobili? Przyszło mu do głowy, że być może w dziejach świata było więcej kary niż zbrodni, ale słabą czerpał z tego pociechę.

Powietrze rzedło — sądził, że szczyt jest blisko. Może już jutro. Jutro nastało i przeminęło. Śnieg nie padał, ale pokrywał drogę piętnastocentymetrową warstwą i pchanie wózka po stromiznach było wyczerpujące. Pomyślał, że będą musieli go zostawić. Ile zdołają unieść? Stanął i popatrzył na jałowe stoki. Popiół padał, aż śnieg prawie sczerniał.

Za każdym razem wydawało się, że przełęcz leży tuż za zakrętem. Pewnego wieczoru przystanął, rozejrzał się i rozpoznał to miejsce. Rozpiął kołnierz parki, zsunął kaptur i zaczął nasłuchiwać. Wiatr w czarnych zagajnikach obumarłych choin. Przy krawędzi pusty parking. Chłopiec stał obok — tam, gdzie pewnej odległej zimy on stał ze swoim ojcem. Co to jest, tatusiu?

Przejście. To tutaj.

Rankiem ruszyli dalej. Było bardzo zimno. Z nadejściem popołudnia rozpadał się śnieg, więc wcześnie rozłożyli się biwakiem, przykucnęli pod daszkiem z plandeki i patrzyli, jak pada na ognisko. Rankiem ziemię pokrywała kilkucentymetrowa warstwa świeżego śniegu, ale przestało padać, i było tak cicho, że niemal słyszeli bicie swych serc. Mężczyzna rzucił stertę gałęzi na żar, rozdmuchał płomienie, po czym ruszył przez zaspy, żeby odkopać wózek. Przejrzał konserwy, wrócił, usiedli we dwóch przy ogniu i zjedli ostatnie suchary i kiełbasę z puszki. W kieszeni plecaka znalazł ostatnie pół paczki kakao, które przygotował dla chłopca, a do swojego kubka nalał gorącej wody i zaczął dmuchać.

Obiecałeś, że nie będziesz tak robił, powiedział chłopiec.

Jak nie będę robił?

Dobrze wiesz, tatusiu.

Wylał gorącą wodę z powrotem do rondla, wziął od chłopca kakao, przelał sobie trochę i oddał mu kubek.

Cały czas muszę cię pilnować, rzekł chłopiec.

No wiem.

Jeśli nie dotrzymujesz słowa w małych sprawach, to nie dotrzymasz też w dużych. Sam tak mówiłeś.

Wiem. Ale dotrzymam.

Przez cały dzień schodzili mozolnie południowym stokiem wododziału. Wózek stawał w głębszych zaspach, więc mężczyzna musiał go ciągnąć za sobą jedną ręką, jednocześnie torując drogę z przodu. Gdzie indziej mogliby znaleźć coś, co wykorzystaliby jako płozy. Stary metalowy znak albo kawał blachy dachowej. Płótno na nogach przemokło; szli zmarznięci i mokrzy przez cały dzień. Mężczyzna oparł się na wózku, żeby złapać oddech, a chłopiec czekał. Nagle wśród gór rozległ się ostry trzask. Potem drugi. To tylko drzewa upadają, powiedział. Wszystko w porządku. Chłopiec patrzył na uschłe pnie na poboczu. W porządku, powtórzył mężczyzna. Prędzej czy później poupadają wszystkie drzewa na świecie. Ale nie na nas.

Skąd wiesz?

Po prostu wiem.

W poprzek drogi leżały drzewa, więc musieli rozładować wózek i przenieść wszystko na drugą stronę, a potem spakować. Chłopiec znalazł zabawki, o których dawno zapomniał. Zostawił sobie na wierzchu żółtą ciężarówkę, którą postawił na plandece, gdy ruszyli dalej.

Biwakowali na pagórku obok drogi na przeciwległym brzegu zamarzniętego strumienia. Wiatr zwiał popiół z lodu, lód był czarny, a strumyk wyglądał jak bazaltowa ścieżka biegnąca kręto przez las. Drewno na opał zebrali po północnej stronie stoku, bo tam było suchsze, przewracając całe pnie i ciągnąc je do obozowiska. Rozpalili ogień, rozłożyli plandekę, na palikach wywiesili mokre ubrania, parujące i prześmierdnięte, i usiedli nago, owinięci w kołdry, a mężczyzna przyłożył sobie stopy chłopca do brzucha, żeby je ogrzać.

W nocy usłyszał, że chłopiec pochlipuje. Wziął go w objęcia. Ćśś, rzekł. Ćśś. Już dobrze.

Miałem zły sen.

Wiem.

Opowiedzieć ci o nim?

Jeśli chcesz.

Miałem tego nakręcanego pingwinka, który człapał i trzepotał skrzydełkami. Byliśmy w tym domu, w którym wtedy mieszkaliśmy, i on wyszedł zza rogu, ale przecież nikt go nie nakręcił. Bardzo się zląkłem.

Już dobrze.

We śnie to było o wiele straszniejsze.

Wiem. Sny bywają straszne.

Dlaczego przyśnił mi się taki straszny sen?

Nie wiem. Ale teraz już jest dobrze. Dołożę drewna do ognia. Śpij.

Chłopiec nie odpowiedział. A potem rzekł: Kluczyk się nie obracał.

Dopiero po czterech dniach zeszli ze strefy śniegu, ale nawet wtedy przy zakrętach leżały białe płachcie, a szosa była czarna i mokra od wody spływającej z gór. Posuwali się skrajem głębokiego wąwozu, a daleko w dole płynęła rzeka. Stanęli, nasłuchując.

Wysokie urwiska skalne po drugiej stronie wąwozu, z cienkimi czarnymi drzewami uczepionymi krawędzi. Odgłos płynącej rzeki ucichł. A potem powrócił. Z dołu dął zimny wiatr. Dotarcie do rzeki zabrało im cały dzień.

Zostawili wózek na parkingu i ruszyli przez las. Od rzeki dobiegał niski grzmot. Był to dwudziestopięciometrowy wodospad staczający się ze skalnej półki przez szarą mgłę do stawu. Poczuli zapach wody i chłód od niej bijący. Garb mokrego rzecznego żwiru. Mężczyzna stał i patrzył na chłopca. Ojej, powiedział chłopiec. Nie mógł oderwać wzroku.

Przykucnął, zgarnął garść kamyków, powąchał je i upuścił ze stukotem. Oszlifowane otoczaki, gładkie jak szklane kulki do gry albo pigułki z kamienia, żyłkowane, smugowate. Czarne krążki i kawałki wypolerowanego kwarcu rozjaśnione mgłą znad rzeki. Chłopiec podszedł, przysiadł i obmył się w ciemnej wodzie.

Wodospad staczał się prawie w sam środek sadzawki. Dokoła pływał szary twaróg. Stali obok siebie, przekrzykując hałas.

Zimna?

Lodowata.

Chcesz wejść?

Nie wiem.
No przecież chcesz.
Mogę?
Wchodź.

Rozpiął parkę i zsunął ją na żwir, po czym rozebrali się i weszli do wody. Upiornie bladzi i dygoczący. Chłopiec był tak wychudzony, że mężczyźnie aż serce stanęło. Dał nura, wynurzył się zziajany, odwrócił i wstał, bijąc rękami.
Zakryje mnie?, krzyknął chłopiec.
Nie. Chodź.
Obrócił się, popłynął do wodospadu i wystawił się na uderzenia wody. Chłopiec stał zanurzony do pasa, obejmując się za ramiona i podrygując. Mężczyzna wrócił po niego. Podtrzymywany, chłopiec zaczął pływać dokoła, chwytając ustami powietrze i młócąc wodę. Dobrze ci idzie, powiedział mężczyzna. Naprawdę dobrze.

Trzęsąc się, wciągnęli ubrania i ruszyli pod górę szlakiem wzdłuż głazów. Dotarli do miejsca, gdzie rzeka zdawała się niknąć w pustej przestrzeni, i trzymając chłopca, mężczyzna wysunął się na ostatni występ skalny. Spadała z krawędzi prosto w sadzawkę. Cała. Chłopiec przywarł do ręki mężczyzny.
Wysoko, powiedział.
Tak, wysoko.

Czy człowiek zginąłby, gdyby spadł?
Poraniłby się. To przecież wysoko.
Wygląda strasznie.

Ruszyli przez las. Dzień dogasał. Szli po płaskich głazach wzdłuż górnego odcinka rzeki między ogromnymi obumarłymi drzewami. Dawniej żyzny południowy las, w którym rósł stopowiec i pomocnik baldaszkowy. Żeń-szeń. Surowe zeschłe gałęzie rododendrona poskręcane, splątane i czarne. Przystanął. Coś w brudzie i popiele. Nachylił się i przetarł dłonią. Malutka ich kolonia: zmarniałych, wyschniętych, pomarszczonych. Zerwał jednego, podniósł i powąchał. Odgryzł kawałeczek i zaczął żuć.

Co to, tatusiu?

Smardze. To są smardze.

A co to są smardze?

Grzyby.

Można jeść?

Tak. Spróbuj.

Dobre są?

No spróbuj.

Chłopiec powąchał grzyba, ugryzł i przeżuł. Spojrzał na ojca. Nawet dobre, powiedział.

Zerwali grzyby, małe dziwactwa, a mężczyzna wrzucił wszystkie do kaptura chłopięcej kurtki.

Wrócili na drogę i dalej do miejsca, gdzie zostawili wózek. Rozłożyli się biwakiem przy sadzawce z wodospadem, obmyli grzyby z ziemi i popiołu i namoczyli je w rondlu z wodą. Ściemniało się już, gdy mężczyzna rozpalił ogień, na kłodzie pokroił garść grzybów na kolację, zgarnął je na patelnię z tłuszczem wieprzowym wygrzebanym z puszki fasoli i postawił patelnię na żarze, by się poddusiły. Chłopiec się przyglądał. To dobre miejsce, tatusiu, powiedział.

Zjedli małe grzyby z fasolą, wypili herbatę, a na deser otworzyli puszkę gruszek. Ognisko ułożył przy pokładzie skały, gdzie usypał gałęzie, a po drugiej stronie rozpiął plandekę, by odbijała ciepło. Siedzieli rozgrzani w swoim schronieniu, a mężczyzna opowiadał chłopcu historie. Były to stare historie o odwadze i sprawiedliwości, które zapamiętał. Wreszcie chłopiec zasnął w kocach, a wtedy dorzucił do ognia, położył się najedzony i słuchał cichego grzmotu wodospadu w ciemnym przerzedzonym lesie.

Rankiem wyszedł i ruszył ścieżką w dół rzeki. Chłopiec miał rację: to było dobre miejsce, więc chciał sprawdzić, czy nie ma śladów czyjejś bytności. Niczego nie znalazł. Przystanął, patrząc na rzekę w miejscu, gdzie rzucała się susem w sadzawkę, gdzie woda burzyła się i wirowała. Rzucił biały kamyk do wody, ale ten zniknął tak nagle, jak gdyby został połknięty. Pewnego razu stał nad podobną rzeką i patrzył na migot łososi w głębinie, widocznych w herbacianej wodzie, gdy obracały się na bok, by żerować. Odbijających słońce głęboko w ciemności, jakby noże połyskiwały w jaskini.

Nie możemy tutaj zostać, powiedział. Z dnia na dzień robi się coraz zimniej. A wodospad to atrakcja. Tak samo dla nas, jak dla innych, i nie wiemy, kto to może być i nawet nie usłyszymy ich nadejścia. Tu jest niebezpiecznie.

Moglibyśmy zostać jeszcze jeden dzień.

To niebezpieczne.

To może znaleźlibyśmy jakieś inne miejsce nad rzeką.

Musimy ruszać w drogę. Musimy iść na południe.

A rzeka nie płynie na południe?

Nie.

Mogę zobaczyć na mapie?

Tak. Zaczekaj, przyniosę ją.

Podarta mapa przedsiębiorstwa naftowego była dawniej sklejona taśmą, ale teraz składała się ze strzępów ponumerowanych kredką w rogu, by można je było łatwo złożyć w całość. Przejrzał wiotkie świstki i dopasował te, które ukazywały okolicę.

Tutaj przejdziemy przez most. Będzie z dwanaście kilometrów stąd. To jest rzeka. Płynie na wschód. A my pójdziemy szosą, po wschodniej stronie łańcucha górskiego. To są nasze drogi, te czarne linie na mapie. Drogi stanowe.

Dlaczego stanowe?

Bo kiedyś należały do stanów. Kiedyś nazywaliśmy się stanami.

Ale teraz już nie ma stanów?

Nie.

A co się z nimi stało?

Dokładnie to nie wiem. Dobre pytanie.

Ale drogi ciągle są?

Tak. Na razie.

Czyli jak długo?

Nie wiem. Na razie będą. Nic ich nie zniszczy, więc chyba się zachowają.

Ale samochody ani ciężarówki nimi nie jeżdżą?

Nie.

No dobrze.

Gotowy?

Chłopiec kiwnął głową. Wytarł nos rękawem, zarzucił mały plecak na ramię, mężczyzna złożył fragmenty mapy, wstał i ruszył między palikami szarych drzew w kierunku drogi.

Gdy ich oczom ukazał się most poniżej, zauważyli stojącą w poprzek jezdni ciężarówkę z naczepą, wbitą w wygiętą żelazną balustradę. Znowu się rozpadało i deszcz pukał cicho w plandekę, a oni stali, wyglądając spod niebieskiego półmroku.

Obejdziemy ją?, spytał chłopiec.

Nie wydaje mi się. Prawdopodobnie będziemy musieli przejść pod spodem. I chyba trzeba będzie rozładować wózek.

Most opasywał rzekę nad kataraktami. Gdy wyszli zza zakrętu drogi, usłyszeli szum wody. Z głębi wąwozu dął wiatr, więc naciągnęli rogi plandeki i wepchnęli wózek na most. Przez balustradę widzieli rzekę. Poniżej katarakt znajdował się wiadukt kolejowy wsparty na filarach z wapienia. Kamienne bloki filarów były poplamione nad poziomem wody od dawnych przyborów, a zakręt rzeki zatykały wielkie pokosy czarnych konarów, krzaków i pni.

Ciężarówka stała tutaj od lat — opony bez powietrza zgniecione pod wieńcami kół. Szoferka wbita była w balustradę, a naczepa wyskoczyła z siodła do przodu i uderzyła w tył kabiny. Po przeciwległej stronie koniec naczepy sterczał poza staranowaną balustradą metr nad wąwozem. Mężczyzna wepchnął wózek pod naczepę, ale rączka się zablokowała. Będą go musieli wsunąć pod kątem. Zostawili wózek na deszczu, przykryty plandeką, a sami zanurkowali pod naczepę — chłopiec przykucnął w suchym miejscu, mężczyzna zaś wspiął się po stopniach na zbiornik z paliwem, otarł deszcz z szyby i zajrzał do kabiny. Zszedł ze stopnia, wyciągnął rękę, otworzył drzwi, a potem wdrapał się do środka i zatrzasnął drzwi za sobą. Usiadł i rozejrzał się wkoło. Za siedzeniami stare łóżko. Na podłodze papiery. Schowek otwarty, ale pusty. Przecisnął się między fotelami do tyłu. Na łóżku zawilgotniały szorstki materac i mała lodówka z otwartymi drzwiami. Składany stolik. Na podłodze stare czasopisma. Przeszukał schowki ze sklejki nad głową, ale niczego nie znalazł. Pod łóżkiem były szuflady. Wyciągnął je i przetrząsnął śmiecie. Przecisnął się z powrotem na przód kabiny, usiadł w fotelu kierowcy i przez szybę pokrytą smużkami deszczówki spojrzał w dół rzeki. Puste bębnienie kropel o metalowy dach i ciemność powoli zasnuwająca wszystko.

Noc przespali w ciężarówce, a rankiem przestało padać, więc rozładowali wózek, przenieśli wszystko pod naczepą na drugą stronę i zapakowali z powrotem. Dalej na moście, w odległości trzydziestu metrów, znajdowały się poczerniałe resztki spalonych opon. Mężczyzna stał i patrzył na ciężarówkę. Jak myślisz, co jest w środku?, spytał.

Nie wiem.

Nie pierwsi tędy idziemy. Więc chyba nic nie zostało.

Nie ma jak dostać się do środka.

Przyłożył ucho do boku naczepy i klepnął otwartą dłonią w cienką blachę. Wygląda, że jest pusta, powiedział. Pewnie można się dostać przez dach. Bo inaczej ktoś już dawno wyciąłby dziurę w boku.

A czym by wyciął?

Coś by znaleźli.

Zdjął parkę, położył ją na wózku, po czym wspiął się na zderzak ciężarówki, na maskę i po szybie wdrapał się na dach kabiny. Wstał, odwrócił się i popatrzył na rzekę. Pod stopami mokry metal. Spojrzał na chłopca. Wyglądał na zmartwionego. Odwrócił się, wyciągnął rękę, uchwycił się przodu naczepy i powoli podciągnął się do góry. To był jedyny sposób, poza tym zostało mało kilogramów do podciągnięcia. Jednym kolanem podparł się na krawędzi i zawisł, odpoczywając. Potem podźwignął się, przekręcił na bok i wstał.

Mniej więcej w jednej trzeciej długości znajdował się otwór, do którego doszedł na ugiętych nogach. Pokrywy nie było, a ze środka biła woń mokrej sklejki i kwaśny odór, który już dobrze znał. W kieszeni na biodrze miał czasopismo, więc wyciągnął je, wyrwał parę kartek, zwinął w rulon, wyjął zapalniczkę, podpalił go i wrzucił w czeluść. Cichy syk. Odgarnął ręką dym i zajrzał w otwór. Wydawało się, że mały ogień płonący na dole jest bardzo daleko. Osłonił dłonią oczy od blasku i wtedy dostrzegł koniec przyczepy. Ludzkie zwłoki. Leżące we wszystkich pozycjach. Wyschnięte i skurczone w zgniłych łachmanach. Palący się zwitek kartek zmalał do wiązki płomieni, a chwilę później zgasł, pozostawiając po sobie na mgnienie oka niewyraźny deseń w popiele przypominający zarys kwiatu, stopioną różę. Potem znów zapadła ciemność.

Tej nocy biwakowali w lesie, na grani górującej nad rozległą wyżynną równiną, która ciągnęła się na południe. Przy skale ułożył ognisko — zjedli ostatnie smardze oraz puszkę szpinaku. Nocą w górach rozpętała się burza, schodziła w ich stronę z kanonadą trzasków i grzmotów, a zawoalowane migotanie błyskawic raz po raz rozwidniało goły szary świat. Chłopiec przywarł do niego. Krótkotrwały grzechot gradu, a potem powolny zimny deszcz.

Gdy się obudził, nadal było ciemno, ale deszcz ustał. Przydymione światło w głębi doliny. Wstał i podszedł nad skraj grani. Mgławica ognia rozciągająca się na wiele kilometrów. Przysiadł i patrzył. Czuł woń spalenizny. Poślinił palec i wystawił go na wiatr. Wstał, odwrócił się i zobaczył, że plandeka jest rozświetlona od środka — chłopiec się obudził. Zagnieżdżony w ciemności, jej kruchy niebieski kształt wyglądał jak namiot z ostatniej eskapady na krańcu świata. Jak coś prawie niewytłumaczalnego. Bo tak było.

Przez cały następny dzień wędrowali w nawiewanych oparach dymu. W porywach wiatru unosił się on z ziemi jak mgła, a cienkie czarne drzewa płonęły na stokach niczym skupiska pogańskich świec. Pod koniec dnia dotarli do miejsca, gdzie pożar przeciął drogę i gdzie asfalt nadal był ciepły, a nieco dalej zaczęli grzęznąć. Gorący czarny kit czepiający się butów i rozciągający w formie cienkich pasków pod kroczącymi stopami. Zatrzymali się. Musimy odczekać, powiedział.

Wrócili i rozłożyli się obozem na samej drodze, a gdy rankiem ruszyli, okazało się, że asfalt ostygł. Wkrótce natknęli się na ślady odciśnięte w nawierzchni. Pojawiły się nagle. Przykucnął i patrzył. Nocą ktoś wyszedł z lasu i pomaszerował roztopioną szosą.

Kim jest ten człowiek?, spytał chłopiec.

Nie wiem. Kim jest ktokolwiek?

Natknęli się na niego człapiącego szosą z przodu, pociągającego lekko jedną nogą. Zatrzymywał się od czasu do czasu, stał zgarbiony i niepewny, po czym ruszał dalej.

Co zrobimy, tatusiu?

Nic nam nie grozi. Będziemy szli i obserwowali.

Przyjrzymy się, powiedział chłopiec.

Tak, przyjrzymy się.

Szli za nim przez kawał drogi, ale w takim tempie marnowali dzień. Wreszcie usiadł na szosie i już nie wstał. Chłopiec uczepił się ojcowskiej kurtki. Milczeli. Był ogorzały jak cała kraina, w osmalonym, czarnym ubraniu. Jedno oko wypalone, porastające poczerniałą czaszkę włosy przypominające zawszoną perukę z popiołu. Gdy go mijali, spuścił wzrok. Jakby coś przeskrobał. Buty miał obwiązane drutem i oblepione smołą z nawierzchni, siedział w milczeniu przygarbiony, w łachmanach. Chłopiec oglądał się przez ramię. Tatusiu, szepnął. Co jest z tym człowiekiem?

Trafił go piorun.

Możemy mu pomóc?

Nie. Nie możemy mu pomóc.

Chłopiec ciągnął go za połę kurtki. Tatusiu.

Przestań.

Tatusiu, naprawdę nie możemy mu pomóc?

Nie. Nie możemy. Dla niego nic już nie da się zrobić.

Posuwali się dalej. Chłopiec płakał. Wciąż oglądał się do tyłu. Gdy zeszli ze wzgórza, mężczyzna przystanął, spojrzał na chłopca, a potem na drogę za plecami. Poparzony człowiek przewrócił się —

z tego miejsca nie można się było nawet zorientować, co leży na szosie. Przykro mi, powiedział. Nie mamy niczego, co moglibyśmy mu dać. Nie mamy mu jak pomóc. Przykro mi z powodu tego, co mu się przytrafiło, ale nijak tego nie naprawimy. Wiesz przecież o tym, prawda? Chłopiec stał ze wzrokiem wbitym w ziemię. Pokiwał głową. Potem ruszyli i już się nie obejrzał.

Wieczorem mdły siarczany blask pożarów. Woda stojąca w przydrożnych rowach czarna od spływającej deszczówki. Góry zawoalowane mgłą. Betonowym mostem przeszli rzekę, której powolny nurt niósł smugi popiołu i brei. Kawałki zwęglonego drewna. W końcu przystanęli, zawrócili i zanocowali pod mostem.

Nosił portfel, póki róg nie przetarł dziury w spodniach. A potem pewnego dnia usiadł na poboczu, wyjął go i przejrzał zawartość. Trochę pieniędzy, karty kredytowe. Prawo jazdy. Zdjęcie żony. Porozkładał wszystko na asfalcie. Jak karty do gry. Rzucił pociemniały od potu skórzany portfel między drzewa i siedział, trzymając fotografię. A potem położył ją na drodze, wstał i ruszyli dalej.

Rankiem leżał na wznak, wpatrzony w gniazda ulepione z gliny przez jaskółki w szczelinach pod mostem. Spojrzał na chłopca, ale ten odwrócił się plecami w stronę rzeki.

Nic nie mogliśmy zrobić.

Milczał.

On umrze. Nie możemy się z nim niczym podzielić, bo też umrzemy.

Wiem.

No to dlaczego się nie odzywasz?

No przecież właśnie się odezwałem.

W porządku już?

Tak.

To dobrze.

Dobrze.

Stali na przeciwległym brzegu rzeki i wołali go. Obszarpane, pogarbione bożki w łachmanach pośrodku jałowej ziemi. Wędrujący po wyschniętym dnie mineralnego morza, spękanym i poszczerbionym jak strącony talerz. Szlaki dzikiego ognia w zakrzepłych piaskach. Sylwetki zamazane w oddali. Obudził się i leżał w ciemności.

Zegary stanęły o 1.17. Długie nożyce światła, a potem seria wstrząsów. Podniósł się i podszedł do okna. Co to?, spytała. Nie odpowiedział. Ruszył do łazienki i nacisnął włącznik światła, ale prądu już nie było. Matowy różowy poblask za szybami. Przyklęknął i przesunął rączkę, żeby zatkać wannę, a potem odkręcił do oporu oba krany. Stała w koszuli nocnej w drzwiach, jedną dłonią trzymając się kurczowo ościeżnicy, drugą obejmując się za brzuch. Co to?, spytała. Co się dzieje?

Nie wiem.

Dlaczego się kąpiesz?

Nie kąpię się.

W tamtych pierwszych dniach obudził się pewnego razu w jałowym lesie i leżał, słuchając odgłosów ptaków wędrownych przelatujących stadami w zawziętej ciemności. Ich stłumionego klangoru dochodzącego z wysokości wielu kilometrów, gdzie krążyły nad ziemią bezsensownie jak owady szturmujące miskę. Życzył im w duchu szczęśliwej podróży, póki nie odleciały. Nigdy więcej ich nie słyszał.

Miał talię kart, którą znalazł w szufladzie biurka w pewnym domu; były wyświechtane i zeszmacone, do tego brakowało dwóch trefli, ale mimo to grali czasem przy ognisku zakutani w koce. Próbował sobie przypomnieć zasady gier z dzieciństwa. Czarny Piotruś. Odmiana wista. Był pewien, że na ogół coś plątał, wymyślał więc nowe gry i nadawał im nazwy. Zwariowana Kostrzewa albo Kocie Rzygi. Czasem dziecko zadawało pytania o świat, który dla niego nie był nawet wspomnieniem. Mężczyzna zastanawiał się długo nad odpowiedziami. Nie ma przeszłości. Czego byś chciał? Przestał jednak zmyślać, bo to też nie było prawdziwe, a opowiadanie go przygnębiało. Chłopiec miał własne fantazje. Jak to będzie, gdy dotrą na południe. Inne dzieci. Próbował go powściągać, ale nie miał do tego serca. Kto by miał?

Żadnych list spraw do załatwienia. Dzień opatrznością sam dla siebie. Godzina. Nie ma żadnego później. Później jest teraz. Wszystkie rzeczy pełne wdzięku i piękna, które są bliskie sercu człowieka, mają wspólne źródło w cierpieniu. Rodzą się w żałości i popiele. No tak, szepnął do śpiącego dziecka. Ja mam ciebie.

Rozmyślał o zdjęciu na drodze i uznał, że w jakiś sposób powinien był zachować ją w ich życiu, ale nie wiedział jak. Obudził się, kaszląc, i odszedł na stronę, żeby nie zbudzić dziecka. Podążając za kamienną ścianą w ciemności, okutany w koc, klęknął w popiele jak pokutnik. Kaszlał, aż poczuł smak krwi w ustach, a potem wypowiedział głośno jej imię. Pomyślał, że może wymówił je we śnie. Gdy wrócił, chłopiec już nie spał. Przepraszam, rzekł.

Nic się nie stało.

Śpij.

Chciałbym być z mamą.

Milczał. Usiadł przy drobnej postaci zawiniętej w kołdry i koce. Po chwili powiedział: To znaczy, że chciałbyś nie żyć.

Tak.

Nie wolno ci tak mówić.

Ale bym chciał.

Nie mów tak. To źle tak mówić.

Nic na to nie poradzę.

Wiem. Ale musisz się postarać.

Jak mam to zrobić?

Nie wiem.

Ocaleliśmy, powiedział do niej zza płomienia lampy.

Ocaleliśmy?

Tak.

O czym ty mówisz, na Boga? Wcale nie ocaleliśmy. Jesteśmy żywymi trupami w horrorze.

Błagam cię.

Mam to gdzieś. Mam gdzieś, czy będziesz płakał. Nic to dla mnie nie znaczy.

Proszę się.

Przestań.

Błagam cię. Zrobię wszystko.

Czyli na przykład co? Dawno powinnam była się na to zdecydować. Gdy w rewolwerze mieliśmy jeszcze trzy kule, a nie dwie. Byłam głupia. Już to przerabialiśmy. Nie ja o tym zdecydowałam. Zdecydowano za mnie. Skończę z tym wreszcie. Pomyślałam nawet, że ci nie powiem. Tak chyba byłoby najlepiej. Masz dwie kule, a potem co? Nie obronisz nas. Mówisz, że jesteś gotowy za nas umrzeć, ale co to da? Gdyby nie ty, wzięłabym go ze sobą. Wiesz o tym. Tak należałoby zrobić.

Mówisz jak obłąkana.

Nie, mówię prawdę. Prędzej czy później dopadną nas i pozabijają. Zgwałcą mnie. Zgwałcą jego. Zgwałcą nas, zabiją i zjedzą, ale ty nie chcesz tego przyznać. Wolisz na to czekać. Ale ja tak nie mogę. Nie mogę. Siedziała i paliła cienki kawałek wysuszonej winorośli, jakby to było ekskluzywne cygaro. Trzymała go z elegancją, drugą rękę kładąc na podciągniętych do góry kolanach. Patrzyła na niego zza małego płomienia. Kiedyś rozmawialiśmy o śmierci, powiedziała. Teraz już tego nie robimy. Dlaczego?

Nie wiem.

Dlatego, że ona tu jest. Nie zostało już nic, o czym moglibyśmy rozmawiać.

Nie opuszczę cię.

Mam to gdzieś. To bez znaczenia. Możesz myśleć o mnie jako o wiarołomnej zdzirze, jeśli chcesz. Mam nowego kochanka. Daje mi to, czego ty nie możesz.

Śmierć to nie kochanek.

A owszem.

Proszę cię, nie rób tego.

Przykro mi.

Sam nie podołam.

Trudno. Nic na to nie poradzę. Mówi się, że kobiety śnią o niebezpieczeństwach zagrażających tym, którymi się opiekują, a mężczyźni śnią o niebezpieczeństwach zagrażających im samym. Ale ja w ogóle nie mam snów. Mówisz, że nie podołasz? No to trudno. I tyle. Ja już skończyłam z tym moim kurewskim sercem i to od dłuższego czasu. Mówisz, że musimy się bronić, ale nie ma już czego bronić. Serce wydarto mi tej nocy, kiedy się urodził, więc nie licz teraz na mój smutek. Bo już się wyczerpał. Może sobie poradzisz. Wątpię, ale kto wie? Jedno ci mogę powiedzieć: nie uratujesz się dla samego siebie. Wiem, bo inaczej nie zaszłabym tak daleko. Człowiek, który nie ma nikogo, najlepiej by zrobił, gdyby sklecił sobie byle ducha. Tchnął w niego życie i miłosnymi słowami nakłaniał do dalszej wędrówki. Dzielił się z nim każdym widmowym okruchem i ochraniał własnym ciałem przed niebezpieczeństwami. Co do mnie, to mam tylko nadzieję na wieczną nicość, na to liczę całym sercem.

Milczał.

Nic nie mówisz, bo nie zostały ci już żadne argumenty.

Pożegnasz się z nim?

Nie.

Zaczekaj przynajmniej do rana. Proszę.

Muszę iść.
Wstała.
Na miłość boską, kobieto, co ja mu powiem?
Nie wiem. Nie potrafię ci pomóc.
Dokąd pójdziesz? Przecież nawet nie widzisz.
Nie muszę.
Podniósł się. Błagam cię.
Nie. Nie. Nie mogę.

Odeszła, a chłód jej nieobecności był ostatnim, pożegnalnym podarunkiem. Zrobiła to za pomocą płatka obsydianu. Sam ją nauczył. Ostrzejszy od stali. Krawędź cienka jak atom. Miała słuszność. Nie zostały żadne argumenty. Setki nocy spędzili na dyskusjach nad zaletami i wadami samozagłady, toczonych z gorliwością filozofów przykutych łańcuchem do muru w domu wariatów. Rankiem chłopiec nic nie powiedział, a gdy się spakowali i przygotowali do drogi, odwrócił się, spojrzał na ich obozowisko i spytał: Odeszła, prawda?
Tak, odeszła.

Zawsze taki zapobiegliwy, niezbyt zaskoczony nawet najosobliwszym obrotem spraw. Istota idealnie stworzona do tego, by ujrzeć swój własny koniec. Siedzieli o północy w szlafrokach przy oknie; jedli kolację przy świecach i patrzyli na płonące odległe miasta. Kilka dni później urodziła nocą w ich własnym łóżku przy blasku latarki. Rękawiczki służące do mycia naczyń. Nieprawdopodobne pojawienie się małej główki. Pocętkowanej krwią i cienkimi czarnymi włoskami. Cuchnąca smółka. Jej krzyki nic dla niego nie znaczyły. Za oknem zbierający się chłód, na widnokręgu pożary. Podniósł do góry chudziutkie czerwone ciałko, surowe i nagie, przeciął pępowinę kuchennymi nożyczkami i zawinął syna w ręcznik.

Miałeś jakichś przyjaciół?
Tak, miałem.
Dużo?
Dużo.
Pamiętasz ich?
Pamiętam.
Co się z nimi stało?
Umarli.
Wszyscy?
Tak.
Brakuje ci ich?
Brakuje.
Dokąd idziemy?
Na południe.
Dobrze.

Przez cały dzień wędrowali długą czarną szosą, zatrzymując się po południu, żeby zjeść skromny posiłek przygotowany ze szczupłych zapasów. Chłopiec wyjął ciężarówkę z plecaka i kijem narysował drogi w popiele. Ciężarówka posuwała się pomału. Naśladował warkot silnika. Dzień wydawał się prawie ciepły i spali w liściach, z plecakami pod głową.

Coś go obudziło. Odwrócił się na bok i nasłuchiwał. Podniósł powoli głowę, trzymając w dłoni rewolwer. Spojrzał na chłopca, a gdy popatrzył z powrotem w stronę drogi, ukazał się pierwszy z nich. O Boże, szepnął. Wyciągnął rękę i potrząsnął chłopcem, nie odrywając wzroku od szosy. Szli, szurając nogami w popiele, kołysząc na boki zakapturzonymi głowami. Niektórzy mieli maski przeciwgazowe. Jeden ubrany był w biokombinezon. Poplamiony i brudny. Posuwali się przygarbieni, ściskając w rękach pałki i gazrurki. Pokasłując. Nagle z tyłu drogi, za ich plecami, dobiegły odgłosy ciężarówki. Szybko, szepnął. Szybko. Wcisnął rewolwer za pasek, chwycił chłopca za rękę, pociągnął wózek między drzewa i przewrócił go, żeby nie rzucał się w oczy. Chłopiec był sztywny ze strachu. Przyciągnął go do siebie. Już dobrze. Musimy uciekać. Nie oglądaj się. Chodź.

Zarzucił sobie oba plecaki na ramię i popędzili przez kruche paprocie. Chłopiec był przerażony.

Biegnij, szeptał. Biegnij. Obejrzał się. Widać już było jadącą ciężarówkę. Na platformie stali mężczyźni rozglądający się dokoła. Chłopiec upadł. Podciągnął go na nogi. Już dobrze, powiedział. Chodź.

Między drzewami dostrzegł rozstęp, który wyglądał jak rów albo przecinka, i po chwili wypadli z zarośli na starą drogę. Spod zasp popiołu wystawały kawałki pokruszonego asfaltu. Pociągnął chłopca na ziemię — zziajani ukucnęli za nasypem, nasłuchując. Z szosy dobiegał warkot silnika, zasilanego Bóg wie czym. Gdy podniósł się i wyjrzał, zobaczył tylko platformę ciężarówki. Stali na niej mężczyźni, niektórzy z karabinami w rękach. Ciężarówka przejechała, a wśród drzew pojawiły się kłęby dymu. Silnik rzęził. Zacinał się i kaszlał. A potem ucichł.

Mężczyzna przykucnął i położył dłoń na głowie chłopca. O Boże, powiedział. Usłyszeli, że silnik zacharczał, strzelił i zgasł. Potem tylko cisza. Ściskał rewolwer w dłoni, nie pamiętając nawet, że wyszarpnął go zza paska. Rozległy się męskie głosy. Szczęk otwieranej i podnoszonej maski silnika. Siedział, obejmując chłopca. Ćśś, szepnął. Ćśś. Po chwili usłyszeli, że ciężarówka rusza z miejsca. Toczyła się, skrzypiąc jak statek. Tamci nie mieli innego wyjścia jak tylko ją pchać, lecz na tej stromiźnie nie rozpędzą jej na tyle, by silnik zaskoczył. Po kilku minutach zarzęził, kaszlnął i znów umilkł. Mężczyzna podniósł się, wyjrzał i zobaczył, że w odległości sześciu kroków z zarośli wyłania się jeden z nich, rozpinając pasek. Obaj zastygli.

Odbezpieczył rewolwer i wycelował. Tamten stał z ręką odsuniętą na bok; oddychała brudna pognieciona malowana maska, którą nosił na twarzy.

Podejdź.

Spojrzał na szosę.

Nie patrz tam. Patrz na mnie. Zabiję cię, jeśli ich zawołasz.

Podszedł, trzymając pas w ręku. Kolejne przewiercone w nim dziurki odmierzały postępujące wychudzenie, a koniec był wyglansowany od ostrzenia noża. Wszedł na drogę, spojrzał na rewolwer i na chłopca. Oczy okolone warstwami brudu, głęboko osadzone. Jakby zwierzę wyglądało na świat przez oczodoły ludzkiej czaszki. Broda obcięta poziomo u dołu sekatorem, a na szyi tatuaż przedstawiający ptaka, wykonany przez kogoś mającego osobliwe pojęcie o wyglądzie zwierząt. Był szczupły, żylasty, rachityczny. Ubrany w brudny kombinezon roboczy i czarną czapkę z daszkiem, z wyszytym na przedzie logo jakiejś nie istniejącej już firmy.

Dokąd to?

Idę się wysrać.

Dokąd jedziecie tą ciężarówką?

Nie wiem.

Co znaczy nie wiem? Zdejmij maskę.

Ściągnął ją od dołu i trzymał w garści.

No nie wiem.

Nie wiesz, dokąd jedziecie?

Nie wiem.

Na czym jeździ ciężarówka?

Na ropie.

Ile jej macie?

Na pace są dwustulitrowe beczki.

Macie amunicję do karabinów?

Spojrzał przez ramię w kierunku drogi.

Powiedziałem ci, żebyś tam nie patrzył.

Tak, mamy.

Skąd?

Znaleźliśmy.

Kłamiesz. Co jecie?

Co uda się znaleźć.

Co uda się znaleźć?

Tak. Zerknął na chłopca. Nie strzelisz, mruknął.

Tak myślisz?

Masz tylko dwie kule. Może jedną. Moi usłyszą strzał.

Oni tak. Ale ty nie.

Jak to?

Bo kula przemieszcza się szybciej niż dźwięk. Zagnieździ się w twoim mózgu, zanim ją usłyszysz. Żeby usłyszeć, musiałbyś mieć płat czołowy i inne rzeczy o nazwach takich jak wzgórki czworacze, zakręt skroniowy, a ty ich już nie będziesz miał. Będziesz miał papkę.

Jesteś lekarzem?

Jestem nikim.

Mamy rannego. Mógłbyś pomóc, opłaci ci się.

Czy ja wyglądam na kretyna?

Nie wiem, na kogo wyglądasz.

Dlaczego na niego patrzysz?

Mogę patrzeć, na co mi się podoba.

Nie możesz. Jeżeli spojrzysz na niego jeszcze raz, zastrzelę cię.

Chłopiec siedział z dłońmi ułożonymi na głowie, zerkając zza łokci.

Założę się, że ten mały jest głodny. Chodźcie ze mną do ciężarówki. Dostaniecie coś do żarcia. Nie trzeba pogrywać tak ostro.

Wy nie macie nic do żarcia. Idziemy.

Gdzie?

Idziemy.

Ja nigdzie nie idę.

Nie?

Nie.

Myślisz, że cię nie zabiję, ale jesteś w błędzie. Chociaż wolałbym pójść z tobą tą drogą i puścić cię wolno za jakiś kilometr. Tyle potrzebujemy, żeby wam uciec. Nie znajdziecie nas. Nie będziecie nawet wiedzieli, w którą stronę poszliśmy.

Wiesz, co myślę?

Co?

Że z ciebie jeden wielki cykor.

Upuścił pas. Pas upadł z wiszącym wyposażeniem na drogę. Z manierką. Starą wojskową saszetką z płótna. Skórzaną pochwą od noża.

Podniósł wzrok i zobaczył, że oprych ściska nóż w dłoni. Zrobił tylko dwa kroki do przodu, ale prawie wszedł między niego a chłopca.

Ej, co ty kombinujesz?

Nie odpowiedział. Był rosły i okazało się, że bardzo szybki. Zanurkował, chwycił chłopca, przetoczył się z nim przez plecy i zerwał na nogi, przyciskając go do piersi i przystawiając mu nóż do szyi. W tym samym momencie mężczyzna padł na szeroko rozstawione kolana, obrócił się za nim, wycelował i strzelił oburącz z odległości niespełna dwóch metrów. Tamten runął natychmiast na plecy, a z dziury w czole buchnęła krew. Chłopiec leżał na jego kolanach, z buzią pozbawioną wyrazu. Mężczyzna wcisnął rewolwer za pasek, zarzucił plecak na ramię, porwał chłopca, obrócił go nad głową, posadził sobie na ramionach i pognał starą drogą, ściskając małe kolana, z chłopcem uczepionym jego czoła, ubabranym krzepnącą krwią, milczącym jak kamień.

Dotarli do żelaznego mostu w lesie, gdzie nie istniejąca droga przecinała prawie nie istniejący strumień. Zaczął kaszleć, choć brakło mu oddechu. Z drogi zeskoczył w las. Odwrócił się i stanął zziajany, nasłuchując. Cisza. Ostatkiem sił pokonał następny kilometr, wreszcie osunął się na kolana i postawił chłopca w popiół i liście. Wytarł mu buzię z krwi i przytulił go. Już dobrze, powiedział. Już dobrze.

Usłyszał ich tylko raz, gdy nadszedł długi i zimny wieczór, a wokół gęstniał mrok. Przygarnął chłopca. W gardle drapało, ale nie zakaszlał. Chłopiec tak wątły, wymizerowany pod ubraniem, dygoczący jak pies. Kroki w liściach ucichły. Ruszyli dalej. Nic nie mówili, nie wołali do siebie, co było bardziej złowieszcze. Z ostatnim naporem ciemności nastał bezlitosny chłód i chłopiec trząsł się gwałtownie. Księżyc nie ukazał się zza pomroki, nie było dokąd pójść. W plecaku mieli jeden koc, więc wyjął go, okrył nim chłopca, rozpiął parkę i przytulił go do siebie. Leżeli długo, ale straszliwie marzli, więc w końcu się podniósł. Musimy iść, szepnął. Nie możemy tak leżeć. Rozejrzał się, lecz niczego nie było widać. Mówił do ciemności bez głębi i wymiaru.

Brnęli przez las, mężczyzna trzymając chłopca za rękę. Drugą dłoń wysunął do przodu. Tyle samo widziałby z zamkniętymi oczami. Chłopiec wciąż był okutany w koc, więc powiedział mu, żeby go nie upuścił, bo nigdy go nie odnajdą. Chłopiec chciał na barana, ale mężczyzna odparł, że musi iść sam. Przedzierali się nocą przez las, potykając i upadając. W końcu, na długo przed świtem, chłopiec upadł i powiedział, że już nie wstanie. Mężczyzna otulił go swoją parką i kocem, usiadł i zaczął go kołysać w ramionach. W rewolwerze został jeden nabój. Nie spojrzysz prawdzie w oczy. Nie spojrzysz.

W skąpym świetle, które udawało dzień, mężczyzna położył chłopca w liściach, usiadł i obserwował las. Gdy rozjaśniło się trochę, wstał i obszedł prowizoryczny biwak dokoła w poszukiwaniu jakichkolwiek śladów, ale nie zobaczył niczego oprócz niewyraźnych odcisków ich własnych stóp w popiele. Wrócił i obudził chłopca. Musimy iść, powiedział. Chłopiec usiadł zgarbiony, patrząc otępiale. W jego włosach zakrzepłe paskudztwo, umorusana nim buzia. Odezwij się do mnie, powiedział mężczyzna. Ale chłopiec milczał.

Ruszyli na wschód między stojące uschłe drzewa. Minęli stary dom i przecięli leśną drogę. Oczyszczona parcela ziemi, być może dawny warzywnik. Zatrzymywali się od czasu do czasu, żeby nasłuchiwać. Niewidoczne słońce nie rzucało żadnych cieni. Niespodziewanie wyszli na szosę, więc zatrzymał ręką chłopca, ukucnęli w przydrożnym rowie jak trędowaci i nasłuchiwali. Żadnego wiatru. Martwa cisza. Po chwili wstał i wyszedł na drogę. Spojrzał na chłopca. Chodź, powiedział. Chłopiec zbliżył się, a on wskazał ślady kół ciężarówki w popiele. Chłopiec stał okutany w koc i patrzył na drogę.

Nie miał pojęcia, czy udało im się uruchomić silnik. Nie miał pojęcia, jak długo mogą czyhać w zasadzce. Ściągnął plecak z ramienia, usiadł i otworzył go. Musimy coś zjeść, powiedział. Jesteś głodny?

Chłopiec pokręcił głową.

Nie. Oczywiście, że nie. Wyjął plastikową butelkę z wodą, odkręcił ją i podał chłopcu, a on zaczął pić na stojąco. Opuścił butelkę, odzyskał oddech, usiadł na drodze, skrzyżował nogi i znów się napił. Potem oddał butelkę, a mężczyzna łyknął wody, nałożył zakrętkę i przetrząsnął plecak. Zjedli konserwową białą fasolę, podając sobie nawzajem puszkę, a potem, gdy była pusta, wyrzucił ją do lasu. Później znowu ruszyli w drogę.

Ludzie z ciężarówki rozłożyli się obozem na samej szosie. Rozpalili ogień i teraz zwęglone polana przyklejone były do stopionego asfaltu razem z popiołem i kośćmi. Przykucnął i wysunął rękę nad smołę. Biło od niej słabe ciepło. Wstał, spojrzał na drogę, a potem zabrał chłopca do lasu. Masz tutaj zaczekać, powiedział. Nie odejdę daleko. Usłyszę, gdybyś mnie wołał.

Weź mnie ze sobą, powiedział. Wyglądało na to, że zaraz się rozpłacze.

Nie. Masz tu zaczekać.

Proszę cię, tatusiu.

Przestań. Masz zrobić, co mówię. Weź rewolwer.

Nie chcę.

Nie pytałem, czy chcesz. Weź go.

Ruszył przez las do miejsca, w którym zostawili wózek. Był tam, ale wywrócony i splądrowany. Parę rzeczy, których nie zabrali, leżało dokoła w liściach. Kilka książek i zabawek należących do chłopca. Stare buty i trochę łachmanów. Postawił wózek, powkładał do niego rzeczy chłopca i wytoczył go na szosę. A potem tam wrócił. Niczego nie było. Zakrzepła krew w liściach. Plecak chłopca zniknął. W drodze powrotnej natknął się na kości i skórę zasypane kamieniami. Kałuża flaków. Trącił kości czubkiem buta. Najwyraźniej je ugotowano. Żadnych strzępów ubrania. Mrok znów zapadał i zrobiło się już bardzo zimno, więc wrócił do chłopca, ukląkł, objął go i przytulił.

Dopchnęli wózek przez las do starej drogi, zostawili go i ruszyli na południe, uciekając przed zmrokiem. Chłopiec się potykał, bo był zmęczony, więc mężczyzna chwycił go, posadził sobie na ramionach i szedł dalej. Było już prawie całkiem ciemno, gdy dotarli do mostu. Zdjął chłopca i po omacku dobrnęli do nasypu. Pod mostem wyjął zapalniczkę, zapalił ją i drżącym płomykiem oświetlił całe miejsce. Piasek i żwir wypłukane ze strumienia. Zdjął plecak, odłożył zapalniczkę i chwycił chłopca za ramiona. Ledwo go dostrzegał w ciemności. Masz tu zaczekać, powiedział. Idę po opał. Musimy rozpalić ognisko.

Boję się.

Wiem. Ale nie odejdę daleko, więc gdybyś się przestraszył, zawołaj, to usłyszę i zaraz przyjdę.

Bardzo się boję.

Im szybciej pójdę, tym szybciej wrócę, będziemy mieli ognisko i przestaniesz się bać. Tylko się nie kładź. Jeżeli się położysz, to uśniesz, a wtedy nie usłyszysz, gdy cię zawołam, więc nie mógłbym cię znaleźć. Rozumiesz?

Milczał. Mężczyzna poczuł zniecierpliwienie, ale nagle uświadomił sobie, że chłopiec kiwa głową w ciemności. Dobrze, powiedział. Dobrze.

Wgramolił się po nasypie do lasu, wystawiając ręce do przodu. Wszędzie był chrust, ziemia zasłana obumarłymi konarami i gałęziami. Szurając nogami, ukopał stertę, a gdy było dość, nachylił się, wziął naręcze i zawołał chłopca, a chłopiec odkrzyknął i głosem przyprowadził go z powrotem pod most. Siedząc w ciemności, ociosał konary nożem i połamał małe gałęzie rękoma. Wyjął zapalniczkę z kieszeni i potarł krzesiwo. Używał benzyny, która buchnęła wątłym niebieskim płomykiem. Nachylił się, podpalił drewno i patrzył, jak ogień wspina się po plątaninie gałązek. Dołożył więcej drewna, pochylił się i zaczął dmuchać delikatnie u dołu niewielkiego stosu, układając starannie szczapy, kształtując ogień.

Potem jeszcze dwa razy zapuścił się do lasu, wracając z naręczem krzaków i gałęzi na most i zrzucając wszystko na dół. Widział teraz blask ognia z pewnej odległości, nie sądził jednak, żeby był on widoczny z drugiej szosy. Pod mostem wśród skał dostrzegł czarną kałużę stojącej wody. Krawędź lodowej warstwy. Stanął na moście i zrzucił ostatnie naręcze chrustu, buchając białym oddechem w poświacie ogniska.

Siedział na piasku i porządkował zawartość plecaka. Lornetka. Prawie pełna ćwierćlitrowa butelka benzyny. Butelka wody. Kombinerki. Dwie łyżki. Ułożył wszystko w rzędzie. Było pięć małych konserw; wybrał puszkę parówek i kukurydzy, otworzył je małym wojskowym otwieraczem, postawił na skraju ognia i patrzył, jak etykiety fałdują się i płoną. Gdy kukurydza zaczęła parować, wziął puszki za pomocą kombinerek, nachylili się i zabrali powoli do jedzenia łyżkami. Chłopcu głowa opadała z senności.

Po posiłku zabrał go na żwirowy brzeg pod mostem, odepchnął kijem cienką warstwę lodu, uklękli i obmył mu twarz oraz włosy. Woda była tak zimna, że chłopiec się rozpłakał. Ruszyli nieco dalej wzdłuż brzegu, by znaleźć czystą wodę, po czym znów zaczął obmywać mu starannie włosy i wreszcie przerwał, bo chłopiec jęczał z zimna. Wytarł go kocem, klęcząc w blasku ogniska, a cień mostowych filarów załamywał się na rzędzie drzew za strumieniem. Oto moje dziecko, powiedział. Zmywam mózg trupa z jego włosów. To jest moja powinność. Potem zawinął chłopca w koc i zaniósł do ogniska.

Chłopiec chwiał się na siedząco. Mężczyzna obserwował go, bojąc się, że przewróci się w płomienie. W miejscu spania wykopał stopą w piasku wgłębienia dla jego bioder i ramion, usiadł, objął go i zmierzwił mu włosy, by szybciej wyschły. Wszystko to niczym jakieś pradawne namaszczenie. I niech tak będzie. Przywołaj rytuały. Gdy nie zostało już nic innego, upleć ceremoniał z pustki i tchnij w niego życie.

Obudził się nocą z zimna, wstał i połamał więcej gałęzi na opał. Zarysy małych konarów płonące rozżarzoną pomarańczową barwą w popiele. Rozdmuchał płomienie, dorzucił chrustu i usiadł po turecku, opierając się o kamienny filar mostu. Ciężkie bloki z wapienia ułożone bez zaprawy. Nad głową żelazne elementy zbrązowiałe od rdzy, wbite młotem nity. Drewniane legary i podpory. Piasek w miejscu, w którym siedział, był ciepły w dotyku, ale poza obrębem ognia noc wionęła przenikliwym zimnem. Podniósł się i wciągnął świeże drewno pod most. Stał, nasłuchując. Chłopiec spał nieruchomo. Usiadł obok niego i pogłaskał go po jasnych, splątanych włosach. Złoty kielich, godny mieścić w sobie boga. Proszę, nie mów mi, jak zakończy się ta historia. Gdy znowu spojrzał w mrok za mostem, rozpadał się śnieg.

Na opał mieli wyłącznie cienkie gałęzie i chrust, więc ogień palił się tylko przez godzinę, może trochę dłużej. Wciągnął resztę krzaka pod most i połamał go na kawałki, stając na gałęziach i wyginając je rękoma. Myślał, że hałas obudzi chłopca, ale się pomylił. Mokre drewno syczało w ogniu, a śnieg padał. Rankiem zobaczą, czy na drodze są ślady. Oprócz chłopca to był pierwszy człowiek, z którym rozmawiał od ponad roku. Wreszcie mój brat. Gadzie rachuby w tych zimnych i rozbieganych ślepiach. Szare, spróchniałe zęby. Zaklejone ludzkim mięsem. Ten, który uczynił ze świata kłamstwo w każdym słowie.

Gdy obudził się znowu, śnieg przestał padać, a ziarnisty świt zarysował sylwetkę nagich lasów za mostem, z drzewami czarnymi na tle bieli. Leżał skulony, z rękoma między kolanami. Wstał, rozpalił ogień i postawił puszkę buraków w żarze. Chłopiec, zakutany w ubrania, patrzył na niego z ziemi.

W całym lesie na gałęziach i liściach leżał świeży śnieg, już zszarzały od popiołu. Dotarli do miejsca, w którym zostawili wózek; włożył do niego plecak i wytoczył go na szosę. Żadnych śladów. Stali w całkowitej ciszy, nasłuchując. A potem ruszyli przez szarą breję, chłopiec u jego boku, z rękami w kieszeniach.

Posuwali się naprzód przez cały dzień, chłopiec w milczeniu. Popołudniem breja roztopiła się na szosie, a wieczorem było już sucho. Nie zatrzymali się. Ile kilometrów? Piętnaście, dwadzieścia. Dawniej w trakcie marszu lubili rzucać do celu czterema dużymi stalowymi podkładkami, które znaleźli kiedyś w sklepie z artykułami metalowymi, ale stracili je razem ze wszystkim. Nocą rozłożyli się biwakiem w jarze, rozpalili ognisko przy małym kamiennym urwisku i zjedli ostatnią konserwę. Wieprzowina z fasolą; zachował ją na koniec, bo chłopiec najbardziej to lubił. Patrzyli jak bulgocze powoli na węglach, a potem wziął puszkę kombinerkami i zjedli w milczeniu. Wypłukał pustą puszkę wodą i podał chłopcu, by wypił. Na tym koniec. Powinienem być bardziej ostrożny, powiedział.

Chłopiec milczał.

Rozmawiaj ze mną.

Dobrze.

Chciałeś wiedzieć, jak wyglądają źli ludzie. Teraz już wiesz. To może się powtórzyć. Moją rolą jest troszczyć się o ciebie. Bóg mnie do tego powołał. Zabiję każdego, kto cię dotknie. Rozumiesz?

Tak. Siedział, zawinięty w koc. Po chwili podniósł wzrok. A my cały czas jesteśmy dobrymi ludźmi?, spytał.

Tak. Jesteśmy dobrymi ludźmi.

I zawsze tak będzie?

Tak. Zawsze tak będzie.

Dobrze.

Rano wyszli z jaru na szosę. Z kawałka przydrożnej trzciny wystrugał chłopcu piszczałkę i teraz wyjął ją z kieszeni i mu dał. Chłopiec wziął ją bez słowa. Po chwili został w tyle i zaczął dmuchać. Bezkształtna muzyka dla nadchodzących czasów. Albo ostatnia muzyka na ziemi przywołana z popiołów zagłady. Mężczyzna odwrócił się i spojrzał na chłopca. Był pochłonięty grą. Pomyślał, że wygląda jak odmieniec z baśni ogłaszający po okolicy nadejście wędrownego teatru, nieświadomy, że aktorów podążających za jego plecami porwały wilki.

Siedział po turecku w liściach na górskiej grani i obserwował przez lornetkę dolinę leżącą poniżej. Nieruchomy lany kształt rzeki. Ciemne ceglane kominy fabryki. Dachy pokryte łupkiem. Stara drewniana wieża ciśnień spięta żelaznymi obręczami. Żadnego dymu, żadnych oznak życia. Opuścił lornetkę i patrzył dalej.

Co zobaczyłeś?, spytał chłopiec.

Nic.

Podał mu lornetkę. Chłopiec zarzucił sobie pasek na szyję, przyłożył szkła do oczu i wyregulował ostrość. Wszystko dokoła nieruchome.

Widzę dym, powiedział.

Gdzie?

Za tamtymi budynkami.

Jakimi budynkami?

Chłopiec oddał mu lornetkę.

Poprawił ostrość. Leciutka smużka dymu. Faktycznie, rzekł. Widzę.

Co zrobimy, tatusiu?

Powinniśmy chyba to sprawdzić. Tylko musimy uważać. Jeśli to komuna, będą mieli barykady. Ale może to po prostu uchodźcy.

Tacy jak my?

Tak. Tacy jak my.

A jeśli to źli ludzie?

Musimy zaryzykować. Musimy znaleźć coś do jedzenia.

Zostawili wózek w lesie, przecięli torowisko i zeszli stromym nasypem wśród obumarłego czarnego bluszczu. W garści ściskał rewolwer. Trzymaj się blisko mnie, powiedział. Chłopiec usłuchał. Szli ulicami jak saperzy. Skokami, przecznica za przecznicą. W powietrzu słaba woń dymu. Ukryli się w sklepie i obserwowali ulicę, ale nic się nie poruszało. Przeszukali śmieci i gruz. Wyciągnięte szuflady na podłodze, papier i napuchłe pudła kartonowe. Niczego nie znaleźli. Wszystkie sklepy splądrowano wiele lat temu, okna w większości bez szyb. Wewnątrz było zbyt ciemno, by cokolwiek zobaczyć. Weszli po karbowanych schodach ruchomych, chłopiec uczepiony jego ręki. Na wieszaku wisiało kilka zakurzonych garniturów. Szukali butów, ale nie było. Znowu przetrząsnęli śmiecie, lecz nie znaleźli niczego zdatnego do użytku. Kiedy wrócili, zsunął marynarki od garniturów z wieszaka, potrząsnął nimi i przerzucił sobie przez rękę. Idziemy, powiedział.

Myślał, że coś na pewno przeoczono, ale niczego nie znaleźli. W supermarkecie spożywczym nogami przetrząsnęli śmiecie między regałami. Stare opakowania, papiery i wszechobecny popiół. Przejrzał półki w poszukiwaniu witamin. Otworzył drzwi dużej chłodni, ale szybko je zatrzasnął, bo ze środka buchnął kwaśny trupi odór. Stanęli na ulicy. Spojrzał na szare niebo. Rozrzedzony pióropusz ich oddechów. Chłopiec był wyczerpany. Wziął go za rękę. Musimy szukać dalej, powiedział. Musimy szukać.

W domach na skraju miasta ocalało niewiele więcej. Weszli od tyłu schodkami do kuchni i zaczęli przetrząsać szafki. Wszystkie drzwiczki były otwarte. Puszka proszku do pieczenia. Stał i patrzył na nią. W jadalni przejrzeli szuflady kredensu. Ruszyli do salonu. Zwoje odklejonej tapety na podłodze niczym starożytne teksty. Zostawił chłopca, siedzącego z garniturami na schodkach, a sam poszedł na górę.

Wszystko cuchnęło wilgocią i zgnilizną. W pierwszej sypialni wyschnięty trup okryty po szyję kocem. Resztki zgniłych włosów na poduszce. Chwycił za kraj koca i ściągnął go z łóżka, wytrzepał i zwinął pod pachą. Przeszukał biurka i szafki. Letnia sukienka na drucianym wieszaku. Poza tym nic. Wrócił na dół. Zmierzchało się. Wziął chłopca za rękę i wyszli frontowymi drzwiami na ulicę.

Na szczycie wzgórza odwrócił się i zapatrzył na miasto. Ciemność szybko nadchodziła. Ciemność i zimno. Zarzucił chłopcu na ramiona dwie marynarki, które wchłonęły go z całym ubraniem.

Tatusiu, mi się chce jeść.
Wiem.
Odnajdziemy nasze rzeczy?
Tak. Wiem, gdzie są.
A jak ktoś inny znajdzie?
Nie znajdzie.
Mam nadzieję, że nie.
Nie. Chodź, idziemy.
Co to?
Co? Nic nie słyszałem.
Posłuchaj.
Nic nie słyszę.
Nasłuchiwali. Po chwili z oddali dobiegło szczekanie psa. Odwrócił się i spojrzał na ciemniejące miasto. Pies, powiedział.
Pies?
Tak.
Skąd pies?
Nie wiem.
Chyba go nie zabijemy, tatusiu?
Nie. Nie zabijemy go.
Spojrzał na chłopca. Dygotał w marynarkach. Nachylił się i pocałował go w chropawe czoło. Nie zrobimy psu nic złego, powiedział. Obiecuję.

Spali w samochodzie zaparkowanym pod wiaduktem, przykryci stertą marynarek i kocem. Cisza i ciemność, w której dostrzegał przebłyski światła, pojawiające się sporadycznie na tle nocy. Na górnych piętrach budynków całkowity mrok. Trzeba by tam wnosić wodę. I można zostać wykurzonym dymem. Co oni jedzą? Bóg jeden wie. Siedzieli okutani w marynarki, patrząc przez okno. Kto to, tatusiu?

Nie wiem.

Obudził się w nocy i nasłuchiwał. Nie mógł sobie przypomnieć, gdzie się znajdują. Uśmiechnął się na tę myśl. Gdzie my jesteśmy?, spytał.

Co się stało, tatusiu?

Nic. Wszystko dobrze. Śpij.

Wszystko będzie dobrze, prawda?

Tak.

Nic złego nam się nie stanie?

Nic.

Bo my niesiemy ogień.

Tak. Bo my niesiemy ogień.

Rano rozpadał się zimny deszcz. Nawet pod wiaduktem zacinał w samochód i tańczył na drodze. Siedzieli i patrzyli przez strugi wody na szybie. Deszcz zelżał dopiero, gdy minęła spora część dnia. Zostawili marynarki i koc na podłodze przed tylnymi siedzeniami i wyszli na drogę, by przeszukać kolejne domy. W mokrym powietrzu woń dymu. Nie usłyszeli więcej szczekania.

Znaleźli kilka przyborów i trochę ubrań. Bluzę. Foliową płachtę, którą mogli wykorzystać jako plandekę. Miał pewność, że są obserwowani, ale nikogo nie widział. W spiżarni był worek mąki kukurydzianej, do którego dawno temu dobrały się szczury. Przesiał mąkę przez moskitierę okienną, zebrał garść wyschniętych gówien i rozpalił ogień na betonowym ganku, z mąki ulepili ciasteczka i upiekli je na kawałku blachy. A potem zjedli powoli jedno po drugim. Kilka, które zostały, zawinął w papier i schował do plecaka.

Chłopiec siedział na schodkach, gdy nagle zobaczył jakiś ruch na tyłach domu po drugiej stronie ulicy. Patrzyła na niego czyjaś twarz. Chłopiec, mniej więcej w jego wieku, okutany w wielgachne wełniane palto z podwiniętymi rękawami. Wstał i pobiegł przez ulicę na podjazd. Nikogo. Spojrzał na dom, a potem popędził przez porosłe suchymi chwastami podwórko nad wyschnięty czarny strumyk. Wracaj, krzyknął. Nic ci nie zrobię. Stał i płakał, kiedy ojciec nadbiegł z naprzeciwka i chwycił go za ramię.

Co ty wyprawiasz?, syknął. Co ty wyprawiasz?

Tam jest mały chłopiec, tatusiu. Mały chłopiec.

Nie ma żadnego chłopca. Co ty wyprawiasz?

Jest, jest. Widziałem go.

Kazałem ci czekać. Co ci mówiłem? Musimy iść. Chodź.

Chciałem go tylko zobaczyć. Chcę go tylko zobaczyć.

Wziął go za ramię i zaprowadził przez podwórko. Chłopiec płakał i oglądał się za siebie. Chodź, powiedział mężczyzna. Musimy iść.

Chcę go zobaczyć.

Tam nikogo nie ma. Chcesz umrzeć? Czy tego chcesz?

Nic mnie to nie obchodzi, odparł chłopiec, łkając. Nic mnie to nie obchodzi.

Mężczyzna przystanął. Ukucnął i przytulił go. Przepraszam, powiedział. Ale nie mów tak. Nie wolno ci tak mówić.

Mokrymi ulicami dotarli do wiaduktu, zabrali marynarki i koc z samochodu, weszli na nasyp kolejowy, przecięli torowisko, po czym zagłębili się w las, odnaleźli wózek i ruszyli na szosę.

A jak tym małym chłopcem nikt się nie opiekuje?, spytał. A jak on nie ma tatusia?

Tam są ludzie, odparł mężczyzna. Tylko się ukryli.

Wepchnął wózek na szosę i stanął. W mokrym popiele zobaczył ślady kół ciężarówki, niewyraźne i rozmyte, ale obecne. Wydawało mu się, że czuje odór tych ludzi. Chłopiec pociągnął go za połę kurtki. Tatusiu.

Co?

Martwię się o tego małego chłopca.

Wiem. Ale nic mu nie będzie.

Powinniśmy pójść po niego. Możemy pójść po niego i zabrać go ze sobą. Możemy zabrać jego i psa. Pies mógłby nam upolować coś do jedzenia.

Nie możemy.

Ja bym się z nim podzielił moim jedzeniem.

Przestań. Nie możemy tego zrobić.

Znowu się rozpłakał. Co będzie z tym chłopcem, co z nim będzie?, szlochał.

Usiedli o zmierzchu na skrzyżowaniu i rozłożyli na szosie kawałki mapy, żeby się zorientować w terenie. Przytknął palec. Jesteśmy tu, powiedział. Dokładnie tutaj. Chłopiec nie chciał spojrzeć. Mężczyzna siedział wpatrzony w plątaninę czarnych i czerwonych tras, z palcem utkwionym na przecięciu szos, w miejscu, gdzie chyba się znajdowali. Jakby widział ich małe pełzające jaźnie. Możemy wrócić, powiedział cicho chłopiec. To niedaleko. Jeszcze nie jest za późno.

Biwakowali w zagajniku niedaleko drogi. Nie znaleźli ustronnego miejsca, w którym mogliby rozpalić ognisko niewidoczne z oddali, więc obyli się bez ognia. Zjedli po dwa ciastka z mąki kukurydzianej i zasnęli w objęciach na ziemi, przykryci marynarkami i kocami. Tulił dziecko i po chwili przestało dygotać, potem sam zasnął.

Pies, którego pamięta, szedł za nami przez dwa dni. Próbowałem go przywołać, ale nie chciał się zbliżyć. Zrobiłem pętlę z drutu, żeby go schwytać. W rewolwerze były trzy kule. Ani jednej w zapasie. Odeszła drogą. Chłopiec patrzył za nią, a potem spojrzał na mnie, później na psa i rozpłakał się i zaczął błagać, byśmy go oszczędzili, więc obiecałem, że nie zrobię mu nic złego. Psi szkielet pokryty napiętą skórą. Nazajutrz już go nie było. To tego psa pamięta. Nie pamięta żadnych małych chłopców.

W kieszeni miał zawiniętą w szmatkę garść suszonych rodzynek — w południe usiedli na suchej trawie przy drodze i zjedli wszystkie. Chłopiec spojrzał na niego. Nic więcej nie mamy, prawda?

Nie.

Czy teraz umrzemy?

Nie.

A co zrobimy?

Napijemy się wody. A potem pójdziemy dalej drogą.

Dobrze.

Wieczorem wałęsali się po polu, próbując znaleźć miejsce, w którym mogliby rozpalić niewidoczne z dala ognisko. Ciągnęli za sobą wózek po ziemi. Tak mało perspektyw w tym kraju. Jutro znajdą coś do jedzenia. Noc dopadła ich na błotnistej drodze. Weszli na pole po drugiej stronie i poczłapali w kierunku odległej kępy drzew, wyraziście zarysowanych i czarnych na tle resztek widzialnego świata. Gdy tam dotarli, była już ciemna noc. Trzymając chłopca za rękę, stopami zsunął gałęzie i chrust w stos i rozpalił ogień. Drewno było mokre, więc nożem zdarł martwą korę i ułożył patyki dokoła płomieni, by podeschły. Potem rozpostarł na ziemi foliową plandekę, wyciągnął z wózka koce i marynarki, zdjął sobie i chłopcu mokre, ubłocone buty, po czym usiedli w milczeniu, wyciągając ręce do ognia. Chciał coś powiedzieć, ale nic nie przychodziło mu do głowy. Znał już to uczucie, kryjące się za odrętwieniem i tępą rozpaczą. Świat kurczący się do surowego rdzenia rozczłonkowywanych bytów. Nazwy śladem przedmiotów odchodzące z wolna w niepamięć. Kolory. Nazwy ptaków. Jedzenie. I w końcu to, co kiedyś człowiek uważał za prawdę. Kruchsze, niżby można sądzić. Jak wiele już przepadło? Święty idiom odarty z desygnatów, a więc z własnej realności. Ubywa go, jakby był czymś usiłującym zachować ciepło. Z czasem zamigocze po raz ostatni i zgaśnie na zawsze.

Zmęczeni, przespali całą noc, a rankiem na ziemi czerniło się wypalone ognisko. Wciągnął ubłocone buty i poszedł po drewno, chuchając w stulone dłonie. Ale zimno. Może to już listopad. Może jeszcze później. Rozpalił ogień i ruszył na skraj kępy, stanął i patrzył na okolicę. Martwe pola. W oddali stodoła.

Posuwali się piaszczystą drogą na wzgórze, gdzie kiedyś stał dom. Spłonął dawno temu. Sylwetka zardzewiałego paleniska w piwnicy wypełnionej czarną wodą. Arkusze zwęglonej blachy dachowej pogięte na polu, zerwane przez wiatr. W stodole wygarnęli z zakurzonego dna zardzewiałego zbiornika parę garści jakiegoś ziarna, którego nie rozpoznał. Zjedli razem z kurzem. A potem ruszyli polami w kierunku drogi.

Szli wzdłuż muru obok resztek sadu. Drzewa w uporządkowanych rzędach pokrzywione i czarne, gruba warstwa konarów na ziemi. Stanął i popatrzył na pola. Od wschodu wiatr. Miałki popiół posuwający się falami. Zastyga, rusza. Widział to wszystko już nieraz. Plamy zakrzepłej krwi na trawiastym ściernisku i sploty szarych trzewi w miejscach, gdzie dowleczono i oprawiono pomordowanych. Po drugiej stronie muru ciągnął się fryz ludzkich głów, o upodobnionych twarzach, wysuszonych i zdeformowanych, rozciągniętych grymasem, z zapadłymi oczami. W sparciałych uszach złote kolczyki, na czaszkach przerzedzone, zmierzwione włosy wijące się na wietrze. Zęby w zębodołach jak odlewy dentystyczne, prymitywne tatuaże naniesione jakimś domowej roboty barwnikiem z urzetu, wyblakłe od zaćmionego słońca. Pająki, miecze, tarcze strzelnicze. Smok. Hasła runiczne, creda najeżone błędami ortograficznymi. Pradawne motywy wydziergane na brzegach starych blizn. Głowy, których nie roztrzaskano na miazgę, odarte ze skóry, a ogołocone czaszki pomalowane i podpisane na czołach gryzmołami, na jednym białym czerepie starannie pociągnięte tuszem ślady po wszytej płytce niczym instrukcja montażu. Spojrzał za siebie. Chłopiec stał przy wózku na wietrze. Patrzył na połacie poruszającej się suchej trawy i na ciemne poskręcane drzewa w rzędach. Na murze kilka nawianych strzępów ubrania, wszystko szare w popiele. Mężczyzna ruszył wzdłuż muru na ostatni przegląd masek i wrócił przełazem do chłopca. Położył mu rękę na ramieniu. No dobrze, powiedział. Idziemy.

W każdym takim przebrzmiałym zdarzeniu zaczął dostrzegać przesłanie, przesłanie i ostrzeżenie — tym właśnie okazała się sceneria upamiętniająca zamordowanych i pożartych. Obudził się rankiem, przekręcił na bok w kocu i gdy spojrzał przez drzewa w stronę, z której nadeszli poprzedniego dnia, zobaczył czterech piechurów ciągnących szosą ramię w ramię. Ubrani najprzeróżniej, ale każdy z czerwoną chustą na szyi. A raczej pomarańczową, ale tylko o ton jaśniejszą od czerwieni. Mężczyzna położył chłopcu rękę na głowie. Ćśś, szepnął.

Co się stało, tatusiu?

Ludzie na drodze. Schyl się. Nie patrz.

Zgasłe ognisko już nie dymiło. Wózek niewidoczny. Wgrzebał się w ziemię i leżał, patrząc przez ramię. Armia człapiących tenisówek. W rękach ponadpółmetrowe rurki owinięte w skórę. Plecione sznury na nadgarstkach. W niektórych rurkach przeciągnięte łańcuchy, zakończone najrozmaitszymi żeleźcami. Przeszli obok, pobrzękując, posuwając się rozchwianym krokiem nakręcanej zabawki. Brodaci, parujący oddechem spod masek. Ćśś, powiedział, ćśśś. Falanga sunąca w następnej kolejności niosła włócznie albo lance przystrojone wstążkami, długie ostrza wykute z resorów samochodowych w jakiejś prymitywnej kuźni w głębi kraju. Przerażony chłopiec leżał z twarzą wciśniętą w przedramiona. Oddalili się na sześćdziesiąt metrów, wprawiając ziemię w lekkie drżenie. Człapiąc. Za nimi podążały wozy ciągnięte przez niewolników w uprzęży, zapełnione łupami wojennymi, a dalej kobiety, może z tuzin, niektóre w ciąży. Konwój uzupełniali katamici, skąpo ubrani mimo zimna, z obrożami spinającymi szyje, przykuci do siebie jarzmami. Wszyscy powędrowali dalej. Leżeli we dwóch, nasłuchując.

Poszli sobie, tatusiu?

Tak, poszli.

Widziałeś ich?

Tak.

Czy to byli źli ludzie?

Źli.

Dużo ich. Tych złych ludzi.

Tak, dużo. Ale już ich nie ma.

Wstali i otrzepali się, wsłuchując w ciszę w oddali.

Dokąd poszli?

Nie wiem. Są w drodze. To zły znak.

Dlaczego zły?

Po prostu zły. Musimy popatrzyć na mapę.

Wyciągnęli wózek spod gałęzi, następnie mężczyzna postawił go, wrzucił do środka koce i marynarki. Wytoczyli go razem na szosę i stanęli, patrząc w stronę, gdzie wydawało się, że ostatni z hordy łachmaniarzy majaczą jak powidok w zmąconym powietrzu.

Popołudniem znów zaczął padać śnieg. Stanęli i patrzyli na szare płatki przesiewające się przez posępny półmrok. Potem brnęli dalej. Na ciemnej nawierzchni szosy formowała się rzadka breja. Chłopiec coraz bardziej zostawał w tyle, więc mężczyzna przystanął i zaczekał na niego. Trzymaj się przy mnie, powiedział.

Idziesz za szybko.

Będę szedł wolniej.

Ruszyli.

Znowu się nie odzywasz.

Odzywam.

Chcesz się zatrzymać?

Zawsze chcę się zatrzymać.

Musimy być ostrożniejsi. Ja muszę być ostrożniejszy.

Wiem.

Zrobimy sobie postój, dobrze?

Dobrze.

Musimy tylko znaleźć odpowiednie miejsce.

Dobrze.

Padający śnieg spowił ich kurtyną. Nie mogli dostrzec niczego po bokach drogi. Znowu kaszlał, a chłopiec dygotał — we dwóch obok siebie pod foliową plandeką, pchając wózek przez śnieg. Wreszcie przystanął. Chłopiec trząsł się niepohamowanie.

Musimy zrobić postój, powiedział.

Jest bardzo zimno.

Wiem.

Gdzie jesteśmy?

Gdzie jesteśmy?

No tak.

Nie wiem.

Gdybyśmy mieli umrzeć, to mi powiesz?

Nie wiem. Nie umrzemy.

Zostawili wózek przewrócony na polu turzycy, zawinął marynarki i koce w foliową plandekę i ruszyli. Chwyć się mojej kurtki, powiedział. Nie puszczaj. Przez turzycę dotarli do ogrodzenia, przeszli na drugą stronę, odciągając rękami dla siebie nawzajem drut do dołu. Drut był zimny i trzeszczał na zworach. Ściemniało się szybko. Szli dalej. Wreszcie dobrnęli do cedrowego lasu: drzewa martwe i czarne, ale na tyle gęste, że zatrzymywały padający śnieg. Pod każdym drogocenny krąg czarnej ziemi i ściółki.

Usadowili się pod drzewem, zwalili koce i marynarki na ziemię i zawinął chłopca w jeden koc, po czym zaczął zgarniać martwe igliwie na stos. Nogą oczyścił ze śniegu miejsce, w którym mogli skrzesać ogień bez obawy, że zapali się od niego drzewo, po czym odłamał gałęzie z innych pni na opał i otrzepał je ze śniegu. Gdy przysunął zapalniczkę do treściwej podpałki, ogień buchnął natychmiast, wiedział więc, że nie będzie się długo palił. Spojrzał na chłopca. Muszę iść po więcej drewna, powiedział. Będę w pobliżu, dobrze?

To znaczy gdzie?

Chodzi mi o to, że nie odejdę daleko.

Dobrze.

Napadało piętnaście centymetrów śniegu. Przedzierał się między drzewami, ciągnąc odłamane gałęzie z miejsc, gdzie sterczały ze śniegu, a gdy zebrał naręcze, wrócił do ogniska, które już przygasło do garstki drżących węgielków. Rzucił gałęzie na ogień i ruszył znowu. Ciężko będzie nadążyć. W lesie ciemniało, a blask ogniska nie sięgał daleko. Jeśli będzie się spieszył, tylko przez to osłabnie. Obejrzał się za siebie i zobaczył, że chłopiec brnie w śniegu po łydki, zbierając gałęzie i układając je sobie na ręku.

Śnieg padał i nie zamierzał przestać. Przez całą noc mężczyzna budził się, wstawał i dokładał do ognia. Rozwinął plandekę i jeden koniec podparł pod drzewem, żeby odbijała ciepło płomieni. Spojrzał na twarz śpiącego chłopca w pomarańczowym blasku. Zapadłe policzki z czarnymi smugami. Zdławił w sobie gniew. Bezużyteczny. Obawiał się, że chłopiec daleko nie zajdzie. Jeśli nawet przestanie padać, droga będzie ledwo przejezdna. Padający śnieg szemrał w bezruchu, a iskry wznosiły się, bledły i gasły w wiekuistej czerni.

Drzemał, gdy nagle usłyszał trzask w lesie. Potem drugi. Usiadł. Ognisko przygasło do paru rozproszonych płomyków pośród żaru. Nasłuchiwał. Długotrwały trzask łamanych konarów. A potem rumor. Wyciągnął rękę i potrząsnął chłopcem. Obudź się, powiedział. Musimy iść.

Przetarł zaspane oczy wierzchem dłoni. Co się stało? Co się stało, tatusiu?

Chodź. Musimy się zbierać.

Co się stało?

To drzewa. Upadają.

Chłopiec usiadł i rozejrzał się gwałtownie.

Wszystko w porządku, powiedział mężczyzna. Chodź. Trzeba się spieszyć.

Zgarnął posłanie, złożył je i zawinął w plandekę. Spojrzał do góry. Śnieg nawiał mu w oczy. Ogień przygasł do żaru i nie dawał już światła, opał prawie się skończył, a wszędzie dokoła w ciemności upadały drzewa. Chłopiec przywarł do niego. Ruszyli, próbując znaleźć wolne miejsce w mroku, wreszcie opuścił plandekę i po prostu usiedli, naciągnęli na siebie koce i przytulił chłopca. Grzmot przewracających się drzew i basowy huk ładunków śniegu eksplodujących na ziemi wprawiały las w drżenie. Mężczyzna tulił chłopca, mówiąc mu, że wszystko będzie dobrze, że to zaraz się skończy, i po dłuższej chwili tak się stało. Głuchy rumor przebrzmiewał w oddali. Potem jeszcze jeden, samotny, odległy huk. I już nic. No, odezwał się, chyba minęło. Pod jednym z przewróconych drzew wykopał tunel, wygarniając śnieg rękoma, zgrabiałe dłonie trzymając zgięte w rękawach. Wciągnęli tam posłanie i plandekę, a po chwili znowu zasnęli mimo przejmującego zimna.

Gdy nastał dzień, mężczyzna wygrzebał się z nory i spod plandeki ciężkiej od śniegu. Wstał i się rozejrzał. Przestało padać, a cedry leżały dokoła w kopcach śniegu, do tego połamane konary i kilka stojących pni, odartych z gałęzi, jakby spalonych w szarzejącym krajobrazie. Zaczął się przedzierać przez zaspy, zostawiwszy chłopca pod drzewem, śpiącego niczym zahibernowane zwierzątko. Śnieg sięgał prawie do kolan. Na polu zeschła turzyca niemal znikła z oczu, na drutach ogrodzenia śnieg usypany w ostre nawisy, martwa cisza. Oparł się o palik i kaszlał. Nie za bardzo wiedział, gdzie jest wózek, miał wrażenie, że głupieje, że jego głowa nie funkcjonuje jak należy. Skup się, powiedział. Musisz myśleć. Gdy się odwrócił, żeby wrócić, chłopiec go zawołał.

Musimy iść, rzekł. Nie możemy tu zostać.

Chłopiec patrzył posępnie na szare zaspy.

Chodź.

Zabrnęli do ogrodzenia.

Dokąd idziemy?, spytał chłopiec.

Musimy znaleźć wózek.

Stał, z rękoma wciśniętymi pod pachy.

Chodź, powiedział mężczyzna. Musisz iść ze mną.

Brnęli przez zawiane pola. Leżący śnieg był głęboki i szary. Już przykryła go świeża warstwa popiołu. Zrobił parę kroków, odwrócił się i spojrzał. Chłopiec upadł. Mężczyzna rzucił na ziemię naręcze koców i plandekę, wrócił i podniósł go. Dygoczącego. Dźwignął go i przytulił. Przepraszam, powiedział. Przepraszam.

Długo szukali wózka. Wyciągnął go z zaspy, odkopał plecak, otrzepał go, otworzył i wcisnął jeden koc. Włożył plecak, marynarki i pozostałe koce do wózka, podniósł chłopca, posadził go na górze, rozwiązał mu sznurowadła i zdjął buty. Potem wyjął nóż, pociął jedną marynarkę i owinął chłopcu stopy. Następnie z foliowej plandeki wykroił duże kwadraty, złożył je w warstwę i związał od dołu wokół jego kostek podszewką z rękawów marynarki. Wstał. Chłopiec spojrzał na swoje nogi. Teraz ty, tatusiu, powiedział. Otulił chłopca drugą marynarką, usiadł na plandece w śniegu i owinął swoje stopy. Podniósł się, ogrzał dłonie pod kurtką, po czym zapakował ich buty do plecaka razem z lornetką i ciężarówką chłopca. Otrzepał plandekę, złożył ją i przywiązał z kocami do plecaka, który zarzucił sobie na ramię, i jeszcze raz przejrzał wózek, ale niczego więcej nie było. Idziemy, powiedział. Chłopiec popatrzył ostatni raz na wózek, następnie ruszył za nim na drogę.

Szło im się nawet gorzej, niż sądził. W ciągu godziny pokonali może półtora kilometra. Przystanął i spojrzał na chłopca. Chłopiec też się zatrzymał i czekał.

Myślisz, że umrzemy, prawda?

Nie wiem.

Nie umrzemy.

Dobrze.

Ale ty mi nie wierzysz.

Nie wiem.

Dlaczego myślisz, że umrzemy?

Nie wiem.

Przestań mówić nie wiem.

Dobrze.

Dlaczego myślisz, że umrzemy?

Bo nie mamy nic do jedzenia.

Coś znajdziemy.

Dobrze.

Jak myślisz, ile ludzie mogą wytrzymać bez jedzenia?

Nie wiem.

Ale jak myślisz?

Może kilka dni.

A potem co? Padasz i umierasz?

Tak.

A właśnie, że nie. To trwa bardzo długo. Mamy wodę. A to najważniejsze. Bez wody nie można długo przeżyć.

Dobrze.

Ty mi nie wierzysz.

Nie wiem.

Wpatrywał się w niego. Chłopiec stał z rękami w kieszeniach obszernej prążkowanej marynarki.

Myślisz, że cię okłamuję?

Nie.

Ale myślisz, że mógłbym cię okłamać w sprawie śmierci?

Tak.

No dobrze. Być może i tak. Ale nie umieramy.

Dobrze.

Wpatrywał się w niebo. Zdarzały się dni, kiedy popiołowa zasłona rzedła i teraz drzewa stojące wzdłuż drogi rzucały na śnieg ledwo dostrzegalny cień. Szli dalej. Chłopiec z coraz większym trudem. Zatrzymał się, sprawdził swoje stopy i ponownie zawiązał folię. Gdy śnieg zacznie topnieć, trudno będzie nie przemoczyć nóg. Przystawali często, żeby odpocząć. Nie miał siły, żeby nieść dziecko. Usiedli na plecaku i zjedli garść brudnego śniegu. Po południu śnieg zaczął topnieć. Minęli spalony dom, po którym został tylko ceglany komin na podwórku. Byli w drodze przez cały dzień, jeśli można to nazwać dniem. Jasno zaledwie przez kilka godzin. Pokonali może pięć kilometrów.

Myślał, że warunki na drodze będą tak złe, że nikt nie będzie wędrował, ale się pomylił. Rozłożyli się obozem prawie na szosie i rozpalili duże ognisko, wyciągając ze śniegu wielkie konary i rzucając je na płomienie, w których syczały i kopciły. Nic nie mogli na to poradzić. Tych parę koców, które mieli, nie uchroniło ich od zimna. Próbował nie zasnąć. Zrywał się ze snu i szperał rękoma dokoła w poszukiwaniu rewolweru. Chłopiec był bardzo wychudzony. Mężczyzna patrzył na niego, jak śpi. Pociągła buzia i puste oczy. Osobliwe piękno. Wstał i przytaszczył więcej drewna do ogniska.

Wyszli na szosę i stanęli. Na śniegu były ślady. Wóz. W każdym razie jakiś pojazd na kołach. Opony, sądząc po wąskich bieżnikach. Między kołami odciski butów. Ktoś podążał tędy w nocy na południe. A przynajmniej o świcie. Wędrując nocą. Mężczyzna stał i myślał. Przyjrzał się dokładnie śladom. Przeszli w odległości piętnastu metrów od ogniska, ale nawet nie zwolnili kroku, żeby zbadać to miejsce. Popatrzył na drogę z tyłu. Chłopiec go obserwował.

Musimy zejść z szosy.

Dlaczego?

Ktoś nadchodzi.

Źli ludzie?

Tak. Niestety chyba tak.

A może to dobrzy ludzie? Czy to niemożliwe?

Nie odpowiedział. Z przyzwyczajenia zerknął na niebo, ale tam nie było nic do oglądania.

Co zrobimy, tatusiu?

Idziemy.

Nie możemy wrócić do ogniska?

Nie. Chodź. Obawiam się, że mamy mało czasu.

Jestem głodny.

Wiem.

Co zrobimy?

Musimy się gdzieś zadekować. Zejść z szosy.

Zobaczą nasze ślady?

Tak.

Nic nie poradzimy?

Nie wiem.

Będą wiedzieć, kim jesteśmy?

Że co?

Gdy zobaczą nasze ślady. Czy będą wiedzieć, kim jesteśmy?

Spojrzał do tyłu na duże i okrągłe odciski ich własnych stóp na śniegu.

Zorientują się, powiedział.

Przystanął.

Musimy to przemyśleć. Wracajmy do ogniska.

Przyszło mu do głowy, że powinni znaleźć na szosie miejsce, gdzie śnieg całkiem stopniał, ale później pomyślał, że to i tak nic nie da, bo ich ślady nie pojawią się po przeciwnej stronie. Nagarnęli stopami śnieg na ognisko, potem ruszyli między drzewa naokoło i wrócili. Spieszyli się, pozostawiając za sobą labirynt śladów, wreszcie znów skierowali się na północ w las, nie tracąc szosy z oczu.

Miejsce, które wybrali, znajdowało się po prostu najwyżej, odsłaniając widok na drogę od północy i górując nad trasą, którą wrócili. Rozpostarł plandekę na mokrym śniegu i owinął chłopca kocami. Będzie ci zimno, powiedział. Ale może niedługo tu zostaniemy. W ciągu godziny drogą nadciągnęli dwaj mężczyźni, niemal biegiem. Gdy przeszli, wstał i zaczął ich obserwować. I właśnie wtedy jeden z nich zatrzymał się i spojrzał do tyłu. On zastygł. Był okutany w szary koc, więc niełatwo byłoby go zobaczyć, ale jednak taka możliwość istniała. Pomyślał, że prawdopodobnie wyczuli woń dymu. Stali i rozmawiali. A potem ruszyli dalej. Usiadł. Wszystko dobrze, powiedział. Musimy przeczekać. Ale już chyba dobrze.

Przez pięć dni nic nie jedli i mało spali — w takim stanie na obrzeżach małego miasta natrafili na okazały niegdyś dom stojący na wzniesieniu ponad drogą. Chłopiec wziął mężczyznę za rękę. Śnieg w większości stopniał na asfalcie i na południowych stronach pól i lasów. Stali. Foliowe ochraniacze na nogach dawno już się poprzecierały, więc mieli mokre i zmarznięte stopy. Dom był wysoki i reprezentacyjny, z białymi doryckimi kolumnami od frontu. Z boku portyk. Żwirowy podjazd, biegnący łukiem przez pole zeschłej trawy. Okna o dziwo nietknięte.

Co to za miejsce, tatusiu?

Ćśś. Posłuchajmy.

Nic. Wiatr szeleszczący martwymi paprociami przy drodze. Odległe skrzypienie. Drzwi albo okiennica.

Chyba powinniśmy zajrzeć do środka.

Nie idźmy tam.

Wszystko w porządku.

Nie chcę, żebyśmy tam szli.

Wszystko jest dobrze. Musimy zajrzeć.

Nadeszli powoli podjazdem. Żadnych śladów na rozproszonych płachciach topniejącego śniegu. Wysoki żywopłot uschłego ligustru. Dawne ptasie gniazdo uwite w jego ciemnym gąszczu. Zatrzymali się na podwórku, patrząc na fasadę. Dom z wypalanej ręcznie cegły pochodzącej z ziemi, na której stał. Złuszczona farba zwisająca długimi suchymi wstęgami z kolumn i wypaczonych podsufitek. Nad głową lampa na długim łańcuchu. Gdy zaczęli wchodzić po stopniach, chłopiec przywarł do mężczyzny. Jedno z okien było uchylone — ciągnął się od niego przez całą werandę sznurek niknący w trawie. Wziął chłopca za rękę i przeszli razem przez werandę. W dawnych czasach niewolnicy stąpali po tych deskach, niosąc potrawy i napoje na srebrnych tacach. Zbliżyli się do okna i zajrzeli.

A jak tutaj ktoś jest, tatusiu?

Nikogo nie ma.

Chodźmy stąd.

Musimy znaleźć coś do jedzenia. Nie mamy wyboru.

Możemy znaleźć gdzieś indziej.

Wszystko będzie dobrze. Chodź.

Wyjął rewolwer zza paska i pchnął drzwi. Otworzyły się powoli na wielkich mosiężnych zawiasach. Stanęli, nasłuchując. Następnie weszli do obszernej sieni wyłożonej szachownicą białych i czarnych płyt z marmuru. Szerokie schody na górę. Na ścianach elegancka tapeta firmy Morris, namoknięta i obwisła. Stiukowy sufit miał wypukłości w formie wielkich girland, a pożółkłe ząbkowanie wieńczące ściany było pokrzywione i popękane. Po lewej stronie, w głębi pomieszczenia, które dawniej było jadalnią, stał pokaźny kredens z orzecha. Drzwi i szuflady znikły, ale reszta okazała się za duża, by można ją było zabrać i spalić. Stali w progu. W kącie zwalona wielka sterta odzieży. Ubrania i buty. Pasy. Kurtki. Koce i stare śpiwory. Później będzie dość czasu, by o tym pomyśleć. Chłopiec uczepił się jego ręki. Był przerażony. Ruszyli przez sień do pokoju po przeciwnej stronie, weszli i stanęli. Wielka sala o ścianach dwukrotnie wyższych niż drzwi. Kominek z surowej cegły, z którego oderwano drewnianą boazerię i obramowanie, żeby mieć opał. Na podłodze przed paleniskiem leżały materace i posłania. Tatusiu, szepnął chłopiec. Ćśś, odparł mężczyzna.

Popiół był wystygły. Dokoła stały jakieś poczerniałe garnki. Przysiadł na piętach, wziął jeden i powąchał, po czym go odstawił. Wstał i wyjrzał przez okno. Szara podeptana trawa. Szary śnieg. Sznurek wychodzący na zewnątrz przywiązany był do mosiężnego dzwonka, a dzwonek osadzono w nieobrobionym drewienku przybitym do okiennego gzymsu. Wziął chłopca za rękę i ruszyli długim korytarzem na tyłach do kuchni. Wszędzie stosy śmieci. Pokryty rdzą zlew. Woń pleśni i ekskrementów. Weszli do sąsiedniego małego pomieszczenia, prawdopodobnie spiżarni.

W podłodze był właz albo klapa, zabezpieczona dużą kłódką wykonaną ze sprasowanych stalowych płytek. Stał i patrzył.

Tatusiu, odezwał się chłopiec. Musimy stąd iść, tatusiu.

To jest zamknięte nie bez powodu.

Chłopiec szarpnął go za rękę. Był bliski łez. Tatusiu.

Musimy coś zjeść.

Nie jestem głodny. Naprawdę.

Musimy znaleźć łom albo coś.

Wyszli tylnymi drzwiami, chłopiec uczepiony mężczyzny. Wcisnął rewolwer za pasek i rozejrzał się po podwórku. Ścieżka z kostki brukowej i poskręcane, druciane kształty tego, co dawniej było rzędem bukszpanu. Na podwórku stała stara żelazna brona podparta na cegłach — ktoś wepchnął w jej ramę stuosiemdziesięciolitrowy żeliwny kocioł do wytapiania tłuszczu ze świń. Pod spodem był popiół z ogniska i poczerniałe polana. Z boku mały wózek na gumowych kołach. Wszystko to widział i jakby tego nie widział zarazem. Po przeciwległej stronie podwórka stara drewniana wędzarnia i szopa. Ruszył tam, na wpół ciągnąc za sobą dziecko, i przeszukał beczkę z narzędziami pod dachem szopy. Wyjął szpadel o długim trzonku i chwycił go w dłoń. Idziemy, powiedział.

Po powrocie do domu zaczął rąbać drewno dokoła skobla, a w końcu wepchnął ostrze pod spód i podważył. Przymocowany sworzniami skobel nagle odpadł razem ze wszystkim. Mężczyzna wbił stopą szpadel pod krawędź klapy i wyjął zapalniczkę. Stanął na krawędzi szpadla, nacisnął i uniósłszy klapę, nachylił się i chwycił ją ręką. Tatusiu, szepnął chłopiec.

Upuścił zapalniczkę. Nie było czasu, żeby jej szukać. Pchnął chłopca na schodki. Pomóż nam, wołali.

Szybko.

U stóp schodów pojawiła się mrugająca oczami brodata twarz. Pomóż nam, zawołał. Błagam.

Szybko. Szybko, na miłość boską.

Wyrzucił chłopca przez otwór w podłodze, aż ten upadł bezwładnie. Wyskoczył, złapał za klapę, dźwignął ją, zatrzasnął i odwrócił się, żeby dopaść chłopca, ale on już się podniósł i miotał w tańcu przerażenia. Chodź tu, na miłość boską, syknął. Chłopiec wskazywał ręką okno, więc spojrzał tam i zmartwiał. Polem zbliżało się do domu czterech brodatych mężczyzn i dwie kobiety. Chwycił chłopca za rękę. O Chryste, powiedział. Biegnij, biegnij.

Wypadli z domu frontowymi drzwiami, na dół po schodach. W połowie podjazdu pociągnął chłopca w pole. Obejrzał się. Częściowo zasłaniały ich resztki ligustru, ale zdawał sobie sprawę, że mają najwyżej parę minut, jeśli w ogóle. Na krańcu pola przedarli się przez kępę suchej trzciny i dalej ku szosie i wpadli w las po drugiej stronie. Zacisnął mocniej palce na chłopięcym nadgarstku. Biegnij, szepnął. Musimy uciekać. Spojrzał w kierunku domu, ale niczego nie widział. Jeśli wyjdą na podjazd, zobaczą go umykającego z chłopcem między drzewami. To jest ten moment. Teraz. Rzucił się na ziemię, pociągając go za sobą. Ćśśś, powiedział. Ćśśś.

Zabiją nas, tatusiu?

Ćśśś.

Leżeli w liściach i popiele, z dziko bijącymi sercami. Zaraz się rozkaszle. Musi zatkać usta ręką, ale chłopiec ściskał go za nią, nie chcąc puścić, a w drugiej trzymał rewolwer. Próbował się skupić, żeby zdławić kaszel, a jednocześnie usiłował nasłuchiwać. Przekręcił głowę w liściach, chcąc spojrzeć. Nie podnoś się, szepnął.

Idą?

Nie.

Czołgali się powoli przez liście w kierunku obniżonego terenu. Leżał, nasłuchując, trzymając chłopca. Słyszał, że rozmawiają na drodze. Głos kobiety. A potem usłyszał ich wśród suchych liści. Wziął chłopca za rękę i wepchnął w nią rewolwer. Weź to, szepnął. Weź. Chłopiec był przerażony. Mężczyzna objął go ramieniem i przytulił. Jakie chude ciało. Nie bój się, powiedział. Jeśli cię znajdą, będziesz musiał to zrobić. Rozumiesz? Ćśśś. Tylko bez płaczu. Słyszysz, co mówię? Wiesz, jak to zrobić. Włożysz do buzi i skierujesz do góry. Szybko, mocno naciśniesz. Rozumiesz? Przestań płakać. Rozumiesz?

Chyba tak.

Żadne chyba. Pytam, czy rozumiesz?

Tak.

Powiedz tak, tatusiu.

Tak, tatusiu.

Spojrzał na niego. Zobaczył tylko przerażenie. Odebrał mu broń. Nie, nie rozumiesz.

Nie wiem, co zrobić. Nie wiem. Gdzie ty będziesz, tatusiu?

Wszystko w porządku.

Nie wiem, co mam zrobić.

Ćśś. Jestem z tobą. Nie zostawię cię.

Obiecujesz?

Tak. Obiecuję. Chciałem uciec. Żeby ich odciągnąć. Ale cię nie zostawię.

Tatusiu?

Ćśś. Leż płasko.

Tak bardzo się boję.

Ćśś.

Leżeli, nasłuchując. Czy będzie go na to stać? Gdy nadejdzie czas. Gdy nadejdzie czas, nie będzie czasu. Czas to teraz. Przeklnij Boga i giń. A jeżeli nie wystrzeli? Musi wystrzelić. A jeżeli jednak nie wystrzeli? Czy stać cię na to, żeby roztrzaskać tę ukochaną głowę kamieniem? Czy jest w tobie istota, o której nic nie wiesz? Czy to możliwe? Weź go w ramiona. O tak. Dusza jest szybka. Przygarnij go do siebie. Pocałuj. Prędko.

Czekał. Mały niklowany rewolwer w dłoni. Zbierało mu się na kaszel. Cały umysł skupił na tym, by go zdusić. Próbował nasłuchiwać, ale niczego nie słyszał. Nie zostawię cię, szepnął. Nigdy cię nie zostawię. Rozumiesz? Leżał w liściach, trzymając dygoczące dziecko. Ściskając rewolwer. Przez długi wieczór aż po nastanie nocy. Zimnej i bezgwiezdnej. Będącej dobrodziejstwem. Zaczynał wierzyć, że może im się uda. Musimy przeczekać, szepnął. Ale zimno. Próbował myśleć, ale umysł miał rozproszony. Był bardzo słaby. Ta cała gadanina o ucieczce. Nie był w stanie uciekać. Gdy dokoła zaległa ciemność, odpiął plecak, wyjął koce, przykrył nimi chłopca, a on wkrótce zasnął.

W nocy usłyszał przeraźliwe wrzaski dochodzące z domu, więc próbował dłońmi zatkać chłopcu uszy. Po chwili krzyki ucichły. Leżał, nasłuchując. Biegnąc do szosy przez kępę trzciny, widział jakąś skrzynkę. Jakby zabawkowy domek dla dzieci. Zrozumiał, że z tego miejsca obserwowali drogę. Leżeli przyczajeni i dzwonili w domu dzwonkiem, żeby sprowadzić swoich towarzyszy. Zapadał w sen i budził się. Co się dzieje? Kroki w liściach. Nie. To wiatr. Nic. Usiadł i spojrzał w kierunku domu, ale widział tylko mrok. Potrząsnął chłopcem. Chodź, powiedział. Musimy iść. Chłopiec milczał, ale mężczyzna wiedział, że się obudził. Ściągnął z niego koce i przypiął je do plecaka. Chodź, szepnął.

Ruszyli przez ciemny las. Gdzieś poza popiołową zasłoną świecił księżyc, więc dostrzegali zarysy drzew. Potykali się jak pijani. Gdy nas znajdą, to nas zabiją, prawda, tatusiu?

Ćśśś. Koniec rozmów.

Ale prawda?

Ćśś. Tak.

Nie miał pojęcia, jaki kierunek obrali; bał się, że zatoczą koło i wrócą do tego domu. Próbował sobie przypomnieć, czy coś o tym wie, czy to tylko bajka. W którą stronę skręcają zagubieni ludzie? Może to zależy od półkuli mózgowej. Albo prawo- lub leworęczności. Wreszcie wyrzucił to wszystko z głowy. Myśl, że można cokolwiek skorygować. Umysł zaczynał go zawodzić. Ze snu budziły się powoli upiory nie widziane od tysięcy lat. To skoryguj. Chłopiec chwiał się na nogach. Potykając się, poprosił bełkotliwie, żeby go nieść, więc mężczyzna wziął go na ręce. Natychmiast zasnął mu na ramieniu. Wiedział, że nie uniesie go daleko.

Obudził się w ciemnym lesie pośród liści, dygocząc gwałtownie. Usiadł i zaczął macać dokoła rękoma w poszukiwaniu chłopca. Przyłożył dłoń do cienkich żeber. Ciepło i ruch. Bijące serce.

Gdy znowu się obudził, rozjaśniło się już na tyle, że było coś widać. Odgarnął koc, wstał i o mało nie upadł. Odzyskał równowagę, a następnie rozejrzał się po szarym lesie. Jak daleko zabrnęli? Wszedł na szczyt wzniesienia, ukucnął i patrzył, jak przybywa dnia. Powściągliwy świt, zimny niewyraźny świat. W oddali coś wyglądającego jak sosnowy las, surowe i czarne. Bezbarwny świat z drutu i krepiny. Wrócił, obudził chłopca i kazał mu usiąść. Głowa opadała mu do przodu. Musimy iść, powiedział. Musimy iść.

Niósł go przez pole, przystawając dla odpoczynku co pięćdziesiąt odliczonych kroków. Gdy dotarł do sosen, ukląkł, położył chłopca na grysowatej ściółce, okrył kocami, usiadł i patrzył na niego. Wyglądał jak z obozu śmierci. Zagłodzony, wyczerpany, chory ze strachu. Nachylił się i pocałował go, wstał i ruszył na skraj lasu, po czym obszedł teren dokoła, by się upewnić, że są bezpieczni.

Za polami od południowej strony dostrzegł sylwetkę domu i stodoły. Za drzewami zakręt drogi. Długi podjazd porosły uschłą trawą. Uschły bluszcz na kamiennym murze, skrzynka na listy i płot wzdłuż drogi, a dalej uschłe drzewa. Zimno i cicho. Zasnute węglową mgłą. Wrócił i usiadł obok chłopca. To desperacja doprowadziła go do takiej brawury

— zdawał sobie sprawę, że drugi raz nie może tego zrobić. Bez względu na wszystko.

Mijały godziny, chłopiec spał. Gdyby się obudził, byłby przerażony. To się zdarzyło już przedtem. Mężczyzna pomyślał, żeby go obudzić, ale wiedział, że wtedy niczego nie będzie pamiętał. Nauczył go leżeć w lesie jak jelonek. Jak długo? W końcu wyjął rewolwer zza paska, położył go obok chłopca pod kocem, wstał i ruszył.

Do stodoły dotarł z górującego nad nią wzniesienia, zatrzymując się raz po raz, żeby się rozglądać i nasłuchiwać. Przedostał się przez resztki starego jabłoniowego sadu, czarne i poskręcane kikuty, uschłą trawę do kolan. Stanął we wrotach stodoły i nasłuchiwał. Smugi bladego światła. Ruszył wzdłuż zakurzonych komór. Zatrzymał się na środku klepiska i znów nasłuchiwał. Nic. Zaczął wchodzić po drabinie na strych, jednak był tak osłabiony, że myślał, iż nie dotrze na samą górę. Doszedł na koniec strychu i przez wysokie okno wyjrzał na okolicę, pokawałkowaną ziemię, martwą i szarą, ogrodzenie, drogę.

Na podłodze strychu leżały bele siana; ukucnął, wygrzebał z nich garść ziaren i zaczął żuć. Szorstkie, suche, zakurzone. Ale na pewno miały wartość odżywczą. Wstał, przetoczył dwie bele po podłodze i zrzucił je na klepisko. Pacnęły wśród kłębów kurzu. Wrócił do okna i patrzył na fragment domu widoczny zza rogu stodoły. Potem zszedł po drabinie.

Trawa między stodołą a domem wyglądała na niepodeptaną. Podszedł do ganku. Zardzewiała, odpadająca moskitiera. Dziecięcy rowerek. Drzwi do kuchni były otwarte; ruszył przez ganek i stanął w progu. Tania boazeria ze sklejki wypaczona od wilgoci. Odpadająca od ścian. Czerwony politurowany stół. Wszedł i otworzył lodówkę. Na jednej z półek coś obrośniętego jakby szarym futrem. Zatrzasnął drzwi. Wszędzie śmieci. Z kąta wziął szczotkę i zaczął dźgać trzonkiem dokoła. Wspiął się na blat kuchenny i obmacał zakurzone szczyty szafek. Pułapka na myszy. Paczka czegoś. Zdmuchnął kurz. Napój w proszku o smaku winogronowym. Schował go do kieszeni kurtki.

Sprawdził cały dom pokój po pokoju. Nie znalazł niczego. Łyżka w szufladzie przy łóżku. Włożył ją do kieszeni. Pomyślał, że w szafie mogą być jakieś ubrania albo pościel, ale niczego nie było. Wyszedł i ruszył do garażu. Przejrzał narzędzia. Grabie. Szufla. Na półce słoiki z gwoździami i śrubami. Nożyk do cięcia kartonów. Podniósł go do światła, popatrzył na zardzewiałe ostrze i odłożył go na bok. Po chwili znów wziął do ręki. Z puszki po kawie wyjął śrubokręt i otworzył rączkę. W środku były cztery nie używane ostrza. Wyjął zardzewiałe, położył je na półce, zainstalował nowe i skręcił z powrotem rączkę, następnie wsunął ostrze i schował nożyk do kieszeni. Wziął śrubokręt i też wsadził go do kieszeni.

Ruszył z powrotem do stodoły. Miał kawałek materiału, w który zamierzał zebrać ziarno z siana, ale gdy dotarł na miejsce, przystanął i zaczął nasłuchiwać wiatru. Skrzypienie blachy gdzieś wysoko na dachu. W stodole zachowała się woń krów, więc stał i rozmyślał o krowach, uświadamiając sobie, że wymarły. Czy to prawda? A może gdzieś jest jeszcze krowa, którą ktoś karmi i dogląda? Czy nie? Karmi czym? Uratowana po co? Za otwartymi wrotami szeleściła na wietrze sucha trawa. Wyszedł i popatrzył przez pola na sosnowy las, w którym spał chłopiec. Skierował się do sadu i znów przystanął. Wszedł na coś stopą. Cofnął się o krok, uklęknął i rozsunął trawę rękoma. Jabłko. Wziął je do ręki i podniósł do światła. Twarde, brązowe, pomarszczone. Wytarł owoc materiałem i ugryzł. Suche i prawie bez smaku. Ale jabłko. Zjadł całe, pestki, wszystko. Upuścił szypułkę trzymaną między kciukiem a palcem wskazującym. Potem ruszył ostrożnie przez trawę. Stopy wciąż miał owinięte w resztki podszewki i strzępy plandeki, więc usiadł, rozwiązał wszystko, wepchnął do kieszeni i poszedł boso między rzędy drzew. Gdy dotarł na kraniec sadu, miał już cztery jabłka, które włożył do kieszeni. Zawrócił. Kursował między rzędami, aż wydeptał szaradę w trawie. Zebrał więcej jabłek, niż mógł unieść. Przeszukał trawę dokoła pni, potem wypchał jabłkami kieszenie, trochę nasypał do kaptura kurtki, a resztę trzymał w rękach, przyciskając do piersi. Zrzucił wszystkie na stos przed wrotami stodoły, usiadł i obwiązał zgrabiałe stopy.

W komórce przy kuchni widział stary wiklinowy kosz pełen słojów. Wyciągnął kosz, wyjął słoje, przechylił go i wytrzepał brud. Nagle zastygł. Co zobaczył wcześniej? Rynnę. Kratę. Czarne sploty martwej winorośli biegnące po niej jak odwzorowanie danych na wykresie. Podniósł się, przez kuchnię wyszedł na podwórko i stanął, patrząc na dom. Okna odbijające szary bezimienny dzień. Rynna w rogu ganku. Trzymał kosz w ręku, więc postawił go na ziemi i po schodach wszedł na ganek. Rynna przy narożnym słupie nikła w betonowym zbiorniku. Odgarnął z pokrywy ziemię i kawałki zardzewiałej moskitiery. Wrócił do kuchni, wziął szczotkę, wyszedł, oczyścił starannie powierzchnię, odstawił szczotkę i dźwignął pokrywę. W środku znajdowało się sito wypełnione mokrą szarą breją z dachu, zmieszaną z kompostem z martwych liści i gałęzi. Podniósł sito i odstawił je na deski ganku. Poniżej był biały żwir. Odgarnął go gołymi rękami. Zbiornik znajdujący się pod spodem wypełniało spalone drewno, pozostałości kijów i konarów będące węglowymi wizerunkami całych drzew. Włożył z powrotem sito. W deskach tkwił zielony mosiężny pierścień. Wyciągnął rękę, wziął szczotkę i zmiótł popiół. Ukazały się łączenia przepiłowanych desek. Przetarł deski do czysta, ukląkł, zahaczył palce o pierścień, pociągnął i otworzył klapę. Głęboko w mroku był zbiornik wypełniony wodą tak świeżą, że poczuł jej zapach. Położył się na brzuchu i sięgnął. Zdołał dotknąć wody. Wyciągnął się, sięgnął ponownie i nabrał wody na dłoń, powąchał ją, spróbował i wypił. Leżał przez długą chwilę, raz po raz podnosząc wodę w dłoni do ust. Nie pamiętał już, żeby kiedykolwiek pił coś tak dobrego.

Wrócił do komórki po dwa słoje i niebieski emaliowany rondel. Wytarł rondel, nabrał do niego wody i umył słoje. Potem sięgnął w głąb, zanurzył jeden ze słojów, aż napełnił się po brzegi i wyciągnął go, ociekającego wodą. Była taka czysta. Podniósł naczynie do światła. Pojedyncza drobinka osadu obracająca się w szkle na jakiejś powolnie pracującej hydraulicznej osi. Przechylił słój i zaczął pić pomału, lecz i tak wypił prawie wszystko. Usiadł ze wzdętym żołądkiem. Mógłby wypić więcej. Resztę wody wlał do drugiego słoja, wypłukał go, potem napełnił oba, zamknął drewnianą pokrywę, wstał i mając kieszenie pełne jabłek oraz dwa słoje wody, ruszył przez pole do sosnowego lasu.

Nie było go dłużej, niż zamierzał, więc szedł tak szybko, jak mógł, z wodą przelewającą się i chlupoczącą w skurczonym worku żołądka. Przystanął, żeby odpocząć, ale zaraz ruszył znowu. Gdy dotarł do lasu, odniósł wrażenie, że chłopiec nawet się nie poruszył przez cały ten czas, więc ukląkł, odstawił uważnie słoje na ściółkę, wziął rewolwer, włożył go za pasek, a potem usiadł i patrzył na chłopca.

Przez całe popołudnie jedli jabłka okutani w koce. Popijali wodą ze słojów. Wyjął z kieszeni napój w proszku, otworzył opakowanie, wsypał zawartość do słoja, zamieszał i podał go chłopcu. Świetnie się spisałeś, tatusiu. Przespał się, chłopiec tymczasem trzymał straż, a wieczorem włożyli buty i poszli do sadu, żeby zebrać resztę jabłek. Napełnili wodą trzy słoiki i zamknęli je dwuczęściowymi wieczkami, które znaleźli w pudle stojącym na półce w komórce. Potem zawinął wszystko w koc, wpakował to do plecaka, przywiązał do niego pozostałe koce i zarzucił go sobie na ramię. Stali w drzwiach i patrzyli, jak na zachodzie światło zniża się nad światem. Potem wyszli na podjazd i ruszyli w drogę.

Chłopiec trzymał się poły jego kurtki, on zaś szedł skrajem szosy, usiłując stopami wyczuwać asfalt w mroku. Z oddali dobiegł grzmot, po chwili z przodu ukazały się drgania zamglonego światła. Wyjął z plecaka foliową plandekę, lecz niewiele jej już zostało, więc z trudem wystarczała dla nich obu; zaraz potem się rozpadało. Brnęli dalej obok siebie. Nie było dokąd pójść. Naciągnęli kaptury na głowy, ale kurtki mokły i stawały się ciężkie od deszczu. Przystanął na drodze, próbując poprawić plandekę. Chłopiec trząsł się gwałtownie.

Zimno ci?

Tak.

Jeśli się zatrzymamy, to będzie nam jeszcze zimniej.

Mnie już jest bardzo zimno.

Co chcesz, żebyśmy zrobili?

Możemy się zatrzymać?

Dobrze. Zatrzymajmy się.

Była to najdłuższa noc, jaką pamiętał z całego mnóstwa podobnych nocy. Leżeli pod kocami na mokrej ziemi obok drogi, deszcz dzwonił o plandekę, a mężczyzna tulił chłopca — po chwili chłopiec przestał dygotać, a trochę później zasnął. Grzmot przetoczył się na północ i ucichł, tylko deszcz wciąż padał. Mężczyzna zasnął, a kiedy się obudził, deszcz zelżał, a zaraz potem ustał. Zastanawiał się, czy jest już północ. Zaczął kaszleć, coraz mocniej, i w końcu obudził chłopca. Do świtu pozostało wiele godzin. Wstawał od czasu do czasu, patrzył na wschód. Wreszcie nastał dzień.

Owinął po kolei kurtki dokoła pnia małego drzewa i wycisnął z nich wodę. Kazał chłopcu zdjąć ubranie, okutał go kocem, a gdy chłopiec stał rozdygotany, on wyżął jego ubranie i oddał mu z powrotem. Ziemia, na której spali, była sucha, więc usiedli zawinięci w koce, zjedli jabłka i napili się wody. Potem znów ruszyli w drogę, zgarbieni, skuleni, trzęsący się w łachmanach, jak mnisi zakonu żebraczego szukający wiktu.

Wieczorem nareszcie wyschli. Wpatrywali się w podartą mapę, ale mężczyzna nie za bardzo wiedział, gdzie się znajdują. O zmierzchu stanął na wzniesieniu drogi, próbując się zorientować w terenie. Zeszli ze szczytu, ruszyli wąską drogą przez wiejskie tereny i w końcu dotarli do mostu nad wyschniętym strumieniem, więc zgramolili się na dół i schowali pod spodem.

Możemy rozpalić ognisko?, spytał chłopiec.

Nie mamy zapalniczki.

Odwrócił głowę.

Przepraszam. Upuściłem ją. Nie chciałem ci mówić.

Trudno.

Znajdę dla nas jakiś krzemień. Już szukałem. No i mamy jeszcze butelkę benzyny.

Dobrze.

Bardzo ci zimno?

Nie, w porządku.

Chłopiec wyciągnął się i położył głowę na kolanach mężczyzny. Po chwili rzekł: Oni zabiją tych ludzi, prawda?

Tak.

Dlaczego muszą to robić?

Nie wiem.

Zjedzą ich?

Nie wiem.

Zjedzą ich, prawda?

Tak.

A my nie mogliśmy im pomóc, bo nas też by zjedli?

Tak.

To dlatego nie mogliśmy im pomóc?

Tak.

Dobrze.

Szli przez miasta, do których dostępu broniły groźby nabazgrane na billboardach. Billboardy pomalowano warstwami farby, żeby można było na nich pisać, ale spod bieli wyłaniały się niewyraźne palimpsesty reklam nie istniejących już towarów. Usiedli przy drodze i zjedli ostatnie jabłka.

O co chodzi?, spytał mężczyzna.
O nic.
Znajdziemy coś do jedzenia. Zawsze znajdujemy.
Chłopiec nie odpowiedział. Mężczyzna patrzył na niego.
Chodzi o coś innego, tak?
Wszystko dobrze.
Powiedz.
Chłopiec uciekł wzrokiem w kierunku drogi.
Powiedz mi.
Pokręcił głową.
Popatrz na mnie, rzekł mężczyzna.
Obrócił głowę i spojrzał. Wyglądał, jakby płakał.
Powiedz mi.
My nigdy nikogo nie zjemy, prawda?
Nie. Oczywiście, że nie.
Nawet gdybyśmy głodowali?
Przecież właśnie teraz głodujemy.
Powiedziałeś, że nie.
Powiedziałem, że nie umieramy. Nie mówiłem, że nie głodujemy.
Ale nie zjemy?
Nie.
Żeby nie wiem co?
Żeby nie wiem co.
Bo my jesteśmy dobrzy ludzie.
Tak.
I niesiemy ogień.

Tak. I niesiemy ogień.

Dobrze.

W rowie znalazł kawałki krzemienia albo rogowca, ale w końcu łatwiej było potrzeć kombinerkami o lico skały, u której podnóża ułożył na podpałkę mały stos drewna oblanego benzyną. Kolejne dwa dni. A potem trzy. Głodowali. Kraina była splądrowana, złupiona, spustoszona. Ograbiona z najmniejszego okruszka. Noce oślepiająco zimne i grobowo czarne, długo nadchodzący dzień przynoszący straszną ciszę. Jak świt przed bitwą. Woskowożółta skóra chłopca była niemal przezroczysta. Z tymi wielkimi wytrzeszczonymi oczami wyglądał jak obca istota.

Zaczynał myśleć, że śmierć wreszcie ich dopadła i że powinni poszukać jakiegoś miejsca, w którym nikt ich nie znajdzie. Zdarzało się, że siedział i patrzył na śpiącego chłopca i zaczynał szlochać niepohamowanie, lecz nie z powodu śmierci. Nie wiedział, dlaczego płacze, podejrzewał jednak, że przyczyną jest piękno albo dobro. Sprawy, o których już nie potrafił nijak myśleć. Ukucnęli w posępnym lesie i wypili wodę z rowu przesączoną przez szmatę. We śnie ujrzał chłopca, leżącego na płycie w kostnicy i obudził się z przerażeniem. To, co potrafił wytrzymać na jawie, w nocy było ponad jego siły, siedział więc rozbudzony, bojąc się, że sen powróci.

Przeszukiwali zwęglone ruiny domów, do których dawniej nawet by nie weszli. W piwnicy trup pływający w czarnej wodzie pośród śmieci i zardzewiałych przewodów wentylacyjnych. Stanął w salonie, częściowo spalonym i wystawionym na niebo. Wypaczone od wody deski wypadające na podwórko. W biblioteczce namokłe książki. Wziął jedną, otworzył, a potem odstawił na miejsce. Wszystko mokre. Gnijące. W szufladzie znalazł świeczkę. Nie było czym zapalić. Schował ją do kieszeni. Wyszedł na szary dzień, stanął i przez ułamek sekundy zobaczył absolutną prawdę o świecie. Zimne nieprzejednanie krążące po ziemi pozbawionej jutra. Nieubłagana ciemność. Spuszczone ze smyczy ślepe psy słońca. Miażdżąca czarna pustka wszechświata. I gdzieś tam dwa zaszczute zwierzątka dygoczące jak lisy w kryjówce. Czas dany na kredyt i świat na kredyt, i oczy na kredyt, by go nimi opłakiwać.

Na skraju małego miasteczka usiedli w kabinie ciężarówki, żeby odpocząć, i patrzyli zza szyby obmytej przez niedawne deszcze. Lekki nalot popiołu. Wyczerpanie. Przy drodze stała kolejna tablica grożąca śmiercią, litery wyblakłe z upływu lat. O mało się nie uśmiechnął. Potrafisz to przeczytać?, spytał.

Tak.

Nie zwracaj uwagi. Tutaj nikogo nie ma.

Nie żyją?

Chyba tak.
Szkoda, że tego małego chłopca nie ma z nami.
Idziemy.

Kolorowe sny, z których nie chciał się budzić. O rzeczach nie znanych już na tym świecie. Chłód zmuszał go do doglądania ognia. Wspomnienie o niej idącej przez trawnik do domu wczesnym rankiem, w cienkiej różowej sukience opinającej piersi. Pomyślał, że każde przywoływane wspomnienie jest niechybnie aktem przemocy wobec pierwowzoru. Jak zabawa w głuchy telefon na przyjęciu. Wysłuchaj słów i podaj dalej. A zatem bądź wstrzemięźliwy. To, co zmieniasz we wspomnieniach, ma jeszcze swoją realność, znaną lub nie.

Szli ulicami, okutani w brudne koce. Rewolwer trzymał przy biodrze i ściskał chłopca za rękę. Na przeciwległym krańcu miasta natrafili na dom stojący samotnie w polu; zbliżyli się, weszli do środka i przemaszerowali przez pokoje. Natknęli się na własne odbicie w lustrze — prawie uniósł rewolwer. To my, tatusiu, szepnął chłopiec. To my.

Stał w tylnych drzwiach i patrzył na pola, drogę w oddali i posępną krainę rozciągniętą jeszcze dalej. Na patio znajdował się rożen wykonany z dwustupięćdziesięciolitrowej beczki przeciętej palnikiem wzdłuż i wmontowanej w zespawaną żelazną ramę. Parę uschłych drzew na podwórku. Ogrodzenie. Metalowa szopa na narzędzia. Strząsnął z ramion koc i owinął nim chłopca.

Zaczekaj tutaj.

Chcę z tobą.

Ja tylko idę tam zajrzeć. Posiedź tutaj. Przez cały czas będziesz mnie widział, obiecuję.

Przeszedł przez podwórko i pchnął drzwi na oścież, trzymając rewolwer. Szopa ogrodowa. Brudna podłoga. Metalowe półki, a na nich plastikowe doniczki. Wszystko pokryte popiołem. W kącie narzędzia ogrodnicze. Kosiarka do trawy. Pod oknem drewniana ławka, a obok metalowa szafka. Otworzył ją. Stare katalogi. Paczki nasion. Begonia. Powój. Włożył je do kieszeni. Po co? Na górnej półce stały dwa pojemniki oleju silnikowego; wcisnął rewolwer za pasek, wyciągnął rękę, zdjął oba i postawił na ławce. Były bardzo stare, wykonane z kartonu, z metalowymi zakrętkami. Olej przesączył się przez papier, ale wyglądało na to, że nadal są pełne. Cofnął się i wyjrzał na zewnątrz. Chłopiec siedział na schodkach, zawinięty w koc, i patrzył na niego. Gdy odwrócił się znowu, w kącie obok drzwi zobaczył kanister. Miał pewność, że jest pusty, a jednak gdy trącił go stopą, usłyszał cichy chlupot. Wziął kanister, zaniósł go na ławkę i spróbował odkręcić, lecz nie dał rady. Z kieszeni kurtki wyjął kombinerki, rozwarł szczęki i spróbował ponownie. Pasowały idealnie, więc zdołał odkręcić zakrętkę, położył ją na ławce i powąchał kanister. Cuchnący odór. Wieloletni. Ale to przecież benzyna i będzie się palić. Zakręcił kanister i schował kombinerki do kieszeni. Rozejrzał się w poszukiwaniu mniejszego pojemnika, lecz żadnego nie było. Szkoda, że wyrzucił butelkę. Trzeba jeszcze będzie sprawdzić dom.

Idąc po trawie, poczuł się słabo i musiał przystanąć. Zastanawiał się, czy to skutek wąchania benzyny. Chłopiec go obserwował. Ile dni zostało do śmierci? Dziesięć? Niewiele więcej. Nie potrafił myśleć. Dlaczego się zatrzymał? Obrócił się i popatrzył na trawę. Wrócił. Sprawdził ziemię stopami. Znów się obrócił. A potem poszedł do szopy. Przyniósł szpadel i wbił ostrze w miejsce, gdzie przed chwilą stał. Metal zagłębił się do połowy i utknął, uderzając głucho o drewno. Mężczyzna zaczął odgarniać ziemię.

Szło mu opornie. Boże, ale był zmęczony. Oparł się na szpadlu. Podniósł głowę i spojrzał na chłopca. Siedział jak przedtem. Znowu zabrał się do kopania. Odpoczywał po każdej kolejnej szufli. Wreszcie odkopał kawał sklejki pokrytej papą dachową. Oczyścił ją szpadlem przy brzegach. Była to klapa o wymiarach niecały metr na dwa. Na jednym końcu znajdował się skobel z kłódką zawiniętą w foliową torebkę. Odpoczywał, trzymając się trzonka szpadla, z czołem wciśniętym w zgięte ramię. Gdy znowu podniósł głowę, zobaczył, że chłopiec stoi zaledwie parę kroków dalej. Był bardzo przestraszony. Nie otwieraj, tatusiu, szepnął.

Nic złego się nie dzieje.

Proszę cię, tatusiu. Proszę.

Wszystko w porządku.

Nieprawda.

Dłonie trzymał zaciśnięte przy piersi i podskakiwał ze strachu. Mężczyzna puścił szpadel i objął go. Chodź, powiedział. Usiądźmy na ganku i odpocznijmy chwilę.

A potem sobie pójdziemy?

Posiedźmy chwilę.

Dobrze.

Siedzieli zawinięci w koce i patrzyli na podwórko. Siedzieli długo. Próbował wyjaśniać, że w ziemi nikogo nie pochowano, ale chłopiec się rozpłakał. Po chwili przyszło mu do głowy, że może dziecko ma rację.

Posiedźmy sobie, rzekł. Już bez rozmawiania.

Dobrze.

Znowu przeszli przez dom. Znalazł butelkę po piwie i starą zeszmaconą zasłonę, więc oddarł z niej kraj i wcisnął go wieszakiem do butelki. To nasza nowa lampa, powiedział.

Jak ją zapalimy?

W szopie znalazłem trochę benzyny. I olej. Pokażę ci.

Dobrze.

Chodź, powiedział mężczyzna. Nic złego się nie dzieje. Uwierz mi.

Lecz gdy nachylił się i zajrzał chłopcu w twarz ukrytą pod kocem, zląkł się, że stało się coś, czego nie można już naprawić.

Wyszli i ruszyli przez podwórko do szopy. Postawił butelkę na ławce, wziął śrubokręt, wybił nim dziurę w jednym kartonie, a potem drugą, mniejszą, by łatwiej go było opróżnić. Wyciągnął strzęp zasłony z butelki i napełnił ją olejem mniej więcej do połowy. Stary olej silnikowy, gęsty i zmarznięty, lał się długo. Mężczyzna odkręcił kanister, z jednej saszetki z nasionami zrobił papierowy lejek, dolał benzyny do butelki, zatkał szyjkę kciukiem i wstrząsnął. Następnie odlał trochę do glinianego naczynia, wziął szmatkę i wcisnął ją z powrotem do butelki śrubokrętem. Z kieszeni wyjął kawałek krzemienia oraz kombinerki i potarł krzemień o ząbkowane szczęki. Powtórzył to kilkakrotnie, potem wlał więcej benzyny do naczynia. To może buchnąć, powiedział. Chłopiec kiwnął głową. Mężczyzna potarł znowu krzemieniem, strząsając iskry do naczynia — nagle z głuchym sykiem wystrzelił płomień. Sięgnął po butelkę, przekrzywił ją, zapalił knot, zdmuchnął płomień w naczyniu i podał kopcącą butelkę chłopcu. Masz, weź, powiedział.

Co zrobimy?

Trzymaj ją na wyciągnięcie ręki. Nie pozwól, żeby zgasła.

Wstał i wyjął rewolwer zza paska. Ta klapa wygląda jak zwykła klapa, powiedział. Ale tak nie jest. Wiem, że się boisz. Jednak wszystko jest w porządku. Myślę, że tam może coś być, więc musimy zajrzeć. Nie mamy dokąd pójść. Musimy spróbować tutaj. Chcę, żebyś mi pomógł. Jeśli nie będziesz trzymał lampy, to musisz wziąć rewolwer.

To będę trzymał lampę.

Dobrze. Tak właśnie postępują dobrzy ludzie. Próbują bez przerwy. Nie poddają się.

Dobrze.

Poprowadził chłopca na podwórko, z lampą kopcącą czarnym dymem. Wcisnął rewolwer za pasek, wziął szpadel i zaczął nim odrąbywać skobel ze sklejki. Potem wbił ostrze szpadla pod spód, podważył, ukląkł, chwycił za skobel i szarpiąc, oderwał wszystko, po czym rzucił w trawę. Wcisnął szpadel pod klapę, wsunął palce i, wstając, szarpnął. Rumor ziemi zsuwającej się z desek. Spojrzał na chłopca. Wszystko w porządku?, spytał. Chłopiec skinął milcząco głową, trzymając przed sobą lampę. Mężczyzna pociągnął za klapę, otworzył ją i upuścił. Prymitywne schodki zbite z belek prowadzące w ciemność. Wyciągnął rękę i wziął lampę od chłopca. Ruszył na dół, ale nagle odwrócił się, nachylił i pocałował dziecko w czoło.

Bunkier był zbudowany z bloków betonu. Na podłodze wylany beton i kuchenna terakota. Kilka prycz z gołymi sprężynami, jedna przy każdej ścianie, materace zrolowane u ich stóp na wojskową modłę. Odwrócił się i spojrzał na chłopca, przykucniętego na górze, mrużącego oczy w dymie wznoszącym się z lampy, a potem zszedł po ostatnich stopniach, usiadł i wysunął rękę ze światłem. O mój Boże, szepnął. O mój Boże.

Co się stało, tatusiu?

Zejdź. O mój Boże. Zejdź tutaj.

Karton na kartonie, każdy pełen puszek. Pomidory, brzoskwinie, fasola, morele. Szynka konserwowa. Wołowina peklowana. Setki litrów wody w czterdziestopięciolitrowych plastikowych baniakach. Papierowe ręczniki, papier toaletowy, papierowe talerze. Foliowe worki na śmieci wypełnione kocami. Chwycił się za głowę. O mój Boże, powiedział. Spojrzał na chłopca. Wszystko w porządku, rzekł. Chodź.

Tatusiu.

Zejdź i zobacz.

Postawił lampę na stopniu, wszedł i wziął chłopca za rękę. No chodź, powiedział. Nic złego się nie dzieje.

Co znalazłeś?

Wszystko. Wszystko. Sam zobacz. Poprowadził go na dół, wziął butelkę i poświecił dokoła. Widzisz?, spytał. Widzisz?

Co to jest, tatusiu?

Jedzenie. Umiesz przeczytać?

Gruszki. Tam napisano, że to gruszki.

Tak. Gruszki. Gruszki.

Na stojąco prawie sięgał głową sufitu. Zanurkował pod zawieszoną na haku lampą z zielonym metalowym abażurem. Trzymał chłopca za rękę; chodzili wzdłuż rzędów opisanych kartonów. Chilli, kukurydza, gulasz, zupa, sos do spaghetti. Bogactwo zaginionego świata. Dlaczego to tutaj jest?, spytał chłopiec. Czy jest naprawdę?

O tak. Naprawdę.

Ściągnął jeden karton, rozdarł go i podniósł puszkę brzoskwiń. To znajduje się tutaj, rzekł, bo ktoś pomyślał, że może być potrzebne.

Ale nie wzięli tego.

Nie.

Umarli?

Tak.

Czy my możemy to wziąć?

Tak, możemy. Oni chcieliby, byśmy wzięli. Tak jak my byśmy chcieli na ich miejscu.

To byli dobrzy ludzie?

Tak. Dobrzy.

Tak jak my.

Tak jak my.

To dobrze.

Tak. To dobrze.

W plastikowym pudle były noże, plastikowe przybory, sztućce i naczynia kuchenne. Otwieracz do konserw. Niesprawne latarenki. Znalazł pudełko z bateriami, które przejrzał. W większości były przeżarte rdzą i wydzielały kwasową maź, ale parę wyglądało nie najgorzej. Wreszcie udało mu się zapalić jedną latarenkę, więc postawił ją na stole i zdmuchnął kopcący płomień lampy. Oddarł skrzydełko z otwartego kartonu i powachlował nim pomieszczenie, następnie wspiął się po schodkach, zamknął klapę, odwrócił się i spojrzał na chłopca. Co chciałbyś zjeść na kolację?, spytał.

Gruszki.

Dobry wybór. A więc będą gruszki.

Wziął dwie papierowe miski ze sterty owiniętej folią i rozłożył je na stole. Rozpostarł materace na pryczach, by mogli usiąść, następnie otworzył karton z gruszkami, wyjął jedną puszkę, postawił ją na stole, wbił ostrze otwieracza w wieczko i zaczął obracać motylkiem. Zerknął na chłopca. Siedział cicho na pryczy, nadal zawinięty w koc, i patrzył. Mężczyzna pomyślał, że on wciąż w to nie wierzy. W każdej chwili mogą się obudzić w ciemnym, mokrym lesie. To będą najlepsze gruszki, jakie kiedykolwiek jadłeś, powiedział. Najlepsze. Zaraz się przekonasz.

Siedzieli obok siebie i jedli gruszki. A potem zabrali się za puszkę brzoskwiń. Oblizali łyżki, podnieśli miski do ust i wypili pożywny słodki syrop. Popatrzyli na siebie.

Jeszcze jedną.

Boję się, że zrobi ci się niedobrze.

Nie zrobi.

Od dawna nic nie jadłeś.

Wiem.

No dobrze.

Położył chłopca spać w bunkrze, wygładził jego brudne włosy na poduszce i okrył go kocami. Gdy wszedł po schodkach i podniósł klapę, na dworze było już prawie ciemno. Ruszył do garażu, wziął plecak, wrócił, okrążył teren i zszedł na dół, zatrzasnął klapę, a na koniec wepchnął rączkę kombinerek w ciężką obejmę. Latarenka na baterie zaczynała już przygasać, więc przejrzał zapasy, aż znalazł benzynę ekstrakcyjną w czteroipółlitrowych puszkach. Wyjął jedną puszkę, postawił ją na stole, odkręcił zakrętkę i śrubokrętem przebił metalową pieczęć. Następnie zdjął lampę z haka i napełnił ją. Wcześniej znalazł plastikowe pudło z jednorazowymi zapalniczkami, więc wziął jedną, zapalił lampę, wyregulował płomień i odwiesił ją na miejsce. Potem usiadł na pryczy.

Chłopiec spał, a mężczyzna metodycznie przeglądał zapasy. Ubrania, swetry, skarpety. Miednica ze stali nierdzewnej, gąbki, kostki mydła. Pasta i szczoteczki do zębów. Na dnie dużego plastikowego słoika pełnego śrub, nakrętek i rozmaitych artykułów metalowych znalazł woreczek z sukna, w którym były dwie garście złotych krugerrandów. Wysypał je na dłoń, miętosił w palcach i patrzył, a potem zgarnął z całym żelastwem ponownie do słoika i odstawił słoik na półkę.

Sprawdzał wszystko, przesuwając pudła i skrzynie z jednej strony pomieszczenia na drugą. Małe metalowe drzwi prowadziły do drugiego pomieszczenia, gdzie zmagazynowano butelki z benzyną. W kącie toaleta chemiczna. Na ścianach rury wentylacyjne okryte metalową siatką, a w podłodze ścieki. W środku robiło się coraz cieplej, więc zdjął kurtkę.

Przejrzał wszystko. Znalazł pudełko nabojów do kolta kaliber 45 oraz trzy pudełka trzydziestek do karabinu. Nie znalazł jednak broni. Wziął latarenkę i przeszedł się dokoła, sprawdzając podłogę i ściany w poszukiwaniu ukrytych wnęk. Po chwili usiadł na pryczy i zjadł tabliczkę czekolady. Nie znalazł broni i wiedział, że jej nie znajdzie.

Gdy się obudził, lampa gazowa syczała cicho. W świetle widać było ściany bunkra, pudła i skrzynie. Nie wiedział, gdzie się znajduje. Leżał przykryty własną kurtką. Usiadł i spojrzał na chłopca, śpiącego na sąsiedniej pryczy. Zdjął wcześniej buty, ale wcale tego nie pamiętał, więc teraz sięgnął po nie pod łóżko, włożył, wszedł po schodkach, wyciągnął kombinerki z obejmy, dźwignął klapę i wyjrzał na zewnątrz. Wczesny ranek. Spojrzał na dom i dalej w kierunku drogi — już miał zamknąć klapę, gdy nagle zamarł. Na zachodzie mgliste szare światło. Przespali całą noc i następny dzień. Zamknął klapę, zabezpieczył ją kombinerkami, zszedł na dół i usiadł na pryczy. Rozejrzał się po zapasach. Był już gotowy na śmierć, a teraz wcale nie umrze — musiał to przemyśleć. Każdy może zobaczyć klapę w podwórku i od razu połapie się, co to jest. Trzeba się zastanowić, co robić. To nie kryjówka w lesie. Wręcz przeciwnie. Wstał, podszedł do stołu, zainstalował kuchenkę gazową z dwoma palnikami, włączył ją, wyjął patelnię i czajnik i otworzył plastikowe pudełko z przyborami kuchennymi.

Chłopca obudziło mielenie kawy w małym ręcznym młynku. Usiadł i popatrzył dokoła. Tatusiu, odezwał się.

Cześć. Głodny?

Muszę do łazienki. Siku.

Wskazał łopatką w kierunku niskich stalowych drzwi. Nie wiedział, jak korzystać z toalety, ale i tak będą jej używać. Nie zostaną tutaj długo, a spod ziemi należy wychodzić jak najrzadziej. Chłopiec przeszedł obok, z włosami skołtunionymi od potu. Co to?, spytał.

Kawa. Szynka. Herbatniki.

Jejku.

Przeciągnął kufer po podłodze między prycze, nakrył go ręcznikiem i rozłożył talerze, kubki i plastikowe sztućce. Postawił miskę herbatników przykrytą ściereczką i talerzyk z masłem oraz puszkę mleka skondensowanego. Sól i pieprz. Spojrzał na chłopca. Wyglądał jak odurzony. Wziął z kuchenki patelnię i widelcem nałożył zbrązowiały kawałek szynki na talerz chłopca, z drugiej patelni zgarnął jajecznicę, dodał łyżkę fasoli w sosie pomidorowym i nalał kawy do kubków. Chłopiec zerknął na niego.

No jedz, powiedział mężczyzna. Bo wystygnie.

Co najpierw?

Co chcesz.

Czy to kawa?

Tak. Proszę. Masłem smarujesz herbatniki. O tak. Dobrze.

Wszystko w porządku?

Nie wiem.

Dobrze się czujesz?

Tak.

No to o co chodzi?

Myślisz, że powinniśmy podziękować tym ludziom?

Jakim ludziom?

Tym, którzy nam to wszystko dali.

No, tak, chyba możemy to zrobić.

Ty to zrobisz?

A dlaczego nie ty?

Bo ja nie wiem jak.

Wiesz. Wiesz, jak się mówi dziękuję.

Chłopiec wpatrywał się w talerz. Wydawał się zagubiony. Mężczyzna już chciał otworzyć usta, gdy nagle on rzekł: Drodzy ludzie, dziękujemy wam za to jedzenie i wszystko inne. Wiemy, że przechowywaliście to dla siebie i gdybyście tu byli, nie zjedlibyśmy tego, żebyśmy nie wiem jak bardzo byli głodni, i żałujemy, że nie udało wam się tego zjeść, i mamy nadzieję, że jesteście bezpieczni w niebie razem z Panem Bogiem.

Podniósł wzrok. Tak dobrze?, spytał.
Tak. Myślę, że dobrze.

Nie chciał sam zostać w bunkrze. Chodził za mężczyzną w tę i z powrotem po podwórku, gdy ten nosił butelki z wodą do łazienki na tyłach domu. Wzięli ze sobą małą kuchenkę i parę garnków; podgrzał wodę, wlał ją do wanny i dolał wody z plastikowych baniaków. Trwało to długo, bo chciał urządzić dziecku porządną, ciepłą kąpiel. Gdy wanna była prawie pełna, chłopiec rozebrał się, rozdygotany wszedł do środka i usiadł. Wychudły, brudny i nagi. Obejmował się za ramiona. Jedyne światło roztaczał krąg niebieskich zębów z palnika kuchenki. I co?, spytał mężczyzna.
Nareszcie ciepło.
Nareszcie ciepło?
Tak.
Gdzieś ty się tego nauczył?
Nie wiem.
No dobrze. Nareszcie ciepło.

Umył mu brudne skołtunione włosy, wyszorował go mydłem i gąbkami. Wypuścił mętną wodę, polał chłopca świeżą ciepłą wodą z rondla i drżącego owinął w ręcznik, a potem w koc. Uczesał go i spojrzał. Jego skóra parowała, jakby dymił. Wszystko dobrze?, spytał.

Zimno mi w nogi.

Musisz chwilę zaczekać.

Tylko szybko.

Wykąpał się, potem wyszedł z wody, wlał do niej detergentu i przepychaczką do rur wepchnął do wanny ich cuchnące dżinsy. Gotowy?

Tak.

Przykręcił palnik, aż ogień pyknął i zgasł, a potem zapalił latarkę i położył ją na podłodze. Usiedli na brzegu wanny i wciągnęli buty, później podał chłopcu rondel i mydło, sam wziął kuchenkę, małą butelkę benzyny i rewolwer, po czym, okutani w koce, wrócili przez podwórko do bunkra.

Siedzieli na pryczy, w nowych swetrach i skarpetach, zawinięci w nowe koce, rozdzieleni szachownicą. Podłączył mały grzejnik, wypili coca-colę z plastikowych kubków, a nieco później poszedł do domu, wyżął dżinsy, wrócił z nimi i powiesił je, żeby wyschły.

Jak długo możemy tu zostać, tatusiu?

Niedługo.

Niedługo to ile?

Nie wiem. Może jeszcze jeden dzień. Dwa.

Bo tu jest niebezpiecznie?

Tak.

Myślisz, że nas znajdą?

Nie znajdą.

Mogą nas znaleźć.
Nie. Nie znajdą.

Później, gdy chłopiec zasnął, mężczyzna poszedł do domu i wytaszczył parę mebli na podwórko. Potem wyciągnął materac, położył go na klapie, zszedł, nasunął go starannie od spodu i ostrożnie opuścił klapę, by materac całkowicie ją zakrył. Kiepski kamuflaż, ale lepsze to niż nic. Chłopiec spał, a on usiadł na pryczy i przy blasku latarenki wyrzeźbił z gałęzi drzewa nieprawdziwe kule rewolwerowe, które starannie dopasował do pustych komór bębenka, a potem podstrugał jeszcze bardziej. Uformował końce nożem, wygładził je solą i pobarwił sadzą, aż przybrały kolor ołowiu. Gdy miał już wszystkie pięć, powkładał je do komór, zatrzasnął bębenek, obrócił rewolwer i popatrzył na niego. Nawet z tak bliska wyglądał, jakby był naładowany; odłożył go więc na bok i wstał, by pomacać nogawki spodni parujących przy grzejniku.

Przechowywał garstkę łusek po nabojach do rewolweru, ale przepadły ze wszystkim. Szkoda, że nie trzymał ich w kieszeni. Zgubił nawet tę ostatnią. Pomyślał, że być może udałoby mu się napełnić je prochem z tych czterdziestekpiątek. Spłonki prawdopodobnie by pasowały, jeśli nie uszkodziłby ich przy wydłubywaniu. Pociski mógłby oszlifować odpowiednio nożykiem do cięcia kartonów. Wstał i po raz ostatni przejrzał zmagazynowane zapasy. Następnie przykręcił lampę, aż płomień zgasł z sykiem, pocałował chłopca i wlazł na drugą pryczę, pod czyste koce — po raz ostatni zerknął na ten mały raj drżący w pomarańczowym blasku grzejnika, a potem zasnął.

Miasto opuszczono przed laty, niemniej jednak szli ostrożnie przez zaśmiecone ulice, chłopiec trzymając mężczyznę za rękę. Minęli metalowy kontener na śmiecie, w którym ktoś próbował spalić zwłoki. Zwęglone mięso i kości pokryte wilgotnym popiołem byłyby nierozpoznawalne, gdyby nie kształt czaszek. Żadnego już smrodu. Na końcu ulicy był sklep, a w jednej alejce między półkami, zasypanej stertami pudeł, stały trzy metalowe wózki. Przyjrzał się im, wyciągnął jeden, przykucnął, obrócił kółkami, a potem wstał i pchnął go na próbę w tę i we w tę.

Moglibyśmy wziąć dwa, powiedział chłopiec.

Nie.

Ja pchałbym jeden.

Ty jesteś zwiadowcą. Chcę, żebyś był czujny.

Co zrobimy z tymi wszystkimi rzeczami?

Weźmiemy tyle, ile się da.

Myślisz, że ktoś tu przyjdzie?

Tak. Prędzej czy później.

Mówiłeś, że nikt nie przyjdzie.

Nie mówiłem, że nigdy nie przyjdzie.
Szkoda, że nie możemy tu zamieszkać.
No tak.
Moglibyśmy być czujni.
Jesteśmy czujni.
A jak przyszliby dobrzy ludzie?
Mało prawdopodobne, byśmy na drodze spotkali dobrych ludzi.
Ale przecież my też jesteśmy na drodze.
No wiem.
Czy jak ktoś przez cały czas jest czujny, to oznacza, że ciągle się boi?
No wiesz, wydaje mi się, że trzeba chociaż trochę się bać, żeby być czujnym. Żeby być ostrożnym. Uważnym.
Ale przez resztę czasu się nie boi?
Przez resztę?
No tak.
Nie wiem. Może zawsze trzeba być czujnym? Skoro kłopoty pojawiają się wtedy, gdy najmniej się ich spodziewamy, to może należy się ich spodziewać przez cały czas.
I ty się zawsze spodziewasz, tatusiu?
Tak. Ale może się zdarzyć, że zapomnę o czujności.

Posadził chłopca na kufrze pod lampą gazową i z nożyczkami oraz plastikowym grzebieniem zabrał się do strzyżenia. Długo to trwało, bo się starał. Gdy skończył, zdjął chłopcu ręcznik z ramion, zebrał złociste włosy z podłogi, wytarł mu wilgotną szmatką twarz i ramiona i przysunął lusterko.

Dobrze się spisałeś, tatusiu.

To dobrze.

Wyglądam jak prawdziwy chudzielec.

Bo jesteś chudzielec.

Sobie też obciął włosy, ale tym razem poszło mu gorzej. Przystrzygł brodę nożyczkami, a gdy woda podgrzała się w rondlu, ogolił się plastikową golarką. Chłopiec patrzył na niego. Kiedy skończył, przyjrzał się sobie w lustrze. Jakby nie miał podbródka. Odwrócił się do chłopca. Jak wyglądam?, spytał. Chłopiec przekrzywił głowę. Nie wiem, odparł. Nie będzie ci zimno?

Zjedli obfity posiłek przy świecach. Szynka, zielona fasolka, tłuczone ziemniaki z herbatnikami i sosem. Znalazł cztery butelki dojrzałej whisky, nadal w papierowych torbach, w których ją kupiono, i łyknął odrobinę z wodą ze szklanki. Poczuł odurzenie, nim dopił do końca, więc przerwał. Na deser zjedli brzoskwinie, herbatniki z bitą śmietaną i wypili kawę. Papierowe talerze i plastikowe sztućce wrzucił do worka na śmieci. Potem zagrali w warcaby i położył chłopca spać.

W nocy obudziło go stłumione bębnienie deszczu w materac na dworze. Pomyślał, że mocno pada, skoro to usłyszał. Wstał z latarką, wszedł po stopniach, podniósł klapę i oświetlił podwórko. Było już zalane, a deszcz chlustał. Zamknął klapę. Woda przeciekła do środka, skapując po schodkach, ale uznał, że sam bunkier wygląda na dość szczelny. Poszedł sprawdzić, co z chłopcem. Był mokry od potu, więc ściągnął z niego jeden koc i powachlował mu twarz, a potem przykręcił grzejnik i wrócił do łóżka.

Gdy znów się ocknął, wydawało mu się, że deszcz ustał. Ale obudziło go coś innego. We śnie nawiedziły go stwory, których nigdy wcześniej nie widział. Nie mówiły. Myślał, że przykucnęły obok jego pryczy, gdy spał, aż się wzdrygnął po przebudzeniu. Odwrócił się i popatrzył na chłopca. Może po raz pierwszy zrozumiał, że dla tego dziecka sam jest obcą istotą. Z planety, która już nie istnieje. O której opowieści budzą podejrzliwość. Nie potrafił dla przyjemności chłopca odtworzyć utraconego świata bez odtworzenia samej straty i uznał, że być może dziecko zdaje sobie z tego sprawę lepiej niż on. Próbował przywołać ten sen, ale nie zdołał. Pozostało tylko uczucie z niego wyniesione. Może stwory przyszły go ostrzec. Przed czym? Że nie umie w sercu dziecka rozniecić tego, co w jego sercu obróciło się w popiół. Nawet teraz jakąś częścią siebie żałował, że znaleźli to schronienie. Jakąś częścią siebie pragnął, żeby to się już skończyło.

Upewnił się, że zawór zbiornika jest zamknięty, dźwignął palnik na kufer, usiadł i zabrał się do rozmontowywania. Odkręcił spodnią płytę, zdjął zestaw palników i rozłączył oba za pomocą małego klucza francuskiego. Wysypał zawartość z plastikowego słoika, wygrzebał odpowiednią śrubę, włożył ją do złączki i wkręcił. Podłączył przewód ze zbiornika i chwycił do ręki palnik, mały i lekki. Postawił go na kufrze, wziął metalową ramę, włożył ją do śmieci i poszedł na górę, żeby zobaczyć, jaka jest pogoda. Materac na wierzchu nasiąkł wodą, więc z trudem uniósł klapę. Wyprężył się, opierając ją sobie na ramionach, i wyjrzał na świat. Padała lekka mżawka. Nijak nie potrafił określić pory dnia. Spojrzał na dom, a potem na dżdżystą okolicę, wreszcie opuścił klapę, zszedł po stopniach i zabrał się do śniadania.

Przez cały dzień jedli i spali. Zamierzali wyruszyć w drogę, ale deszcz był wystarczającym powodem, by zostać. Wózek sklepowy stał w szopie. Mało prawdopodobne, by tego dnia ktoś wędrował szosą. Przejrzeli zapasy, odkładając to, co zamierzali zabrać, budując niewielki sześcian w kącie schronienia. Dzień trwał krótko, ledwo zasługując na miano dnia. O zmroku deszcz ustał, więc otworzyli klapę i zaczęli znosić pudła, paczki i foliowe worki przez namokłe podwórko do szopy, gdzie pakowali wszystko do wózka. Nikle oświetlony otwór w ziemi wyglądał jak grób ziejący w dniu Sądu Ostatecznego na jakimś starym apokaliptycznym malowidle. Gdy załadowali wózek do oporu, mężczyzna obwiązał go foliową plandeką i ściąganymi gumkami przymocował jej pierścienie do kosza, a potem odsunęli się na krok i poświecili latarką. Żałował, że z pozostałych wózków w sklepie nie odkręcił kółek, by mieć zapas, ale teraz już było za późno. Szkoda też, że nie zabrał lusterka motocyklowego ze starego wózka. Zjedli kolację i przespali do rana, a potem wyszorowali się znowu gąbkami i umyli głowy w miednicy z ciepłą wodą. Zjedli śniadanie i o pierwszym brzasku wyruszyli w drogę, mając na twarzach nowe maski wycięte z płótna, chłopiec na przedzie z miotłą, oczyszczając drogę z patyków i gałęzi, a mężczyzna pochylony nad wózkiem, wpatrzony w szosę ciągnącą się przed nimi.

Wózek był za ciężki, żeby go pchać przez mokry las, więc w południe zrobili sobie przerwę na środku drogi; przygotowali ciepłą herbatę i zjedli ostatnią szynkę konserwową z krakersami, musztardą i musem jabłkowym. Siedzieli oparci o siebie plecami, obserwując drogę. Wiesz, gdzie jesteśmy, tatusiu?, spytał chłopiec.

O tyle, o ile.

O tyle, o ile to ile?

Hm, mamy ze trzysta kilometrów do wybrzeża. W linii prostej.

Szybko tam będziemy?

My nie idziemy w linii prostej. A więc nie bardzo szybko. W każdym razie nie lotem ptaka.

Lotem ptaka?

Czyli nie bardzo szybko.

Bo ptaki zrobiłyby to szybciej? Bo latają, gdzie chcą?

Tak.

Myślisz, że gdzieś jeszcze są ptaki?

Nie wiem.

Ale jak myślisz?

To chyba mało prawdopodobne.

Może poleciały na Marsa albo gdzieś?

Nie. Nie dałyby rady.

Bo to za daleko?

Tak.

Nawet gdyby chciały?

Nawet gdyby chciały.

A gdyby jednak spróbowały i doleciałyby do połowy drogi albo coś, a potem by się zmęczyły? Spadłyby na ziemię?

Nie mogłyby dolecieć do połowy drogi, bo byłyby w przestrzeni kosmicznej, a tam nie ma powietrza, nie mogłyby więc frunąć, poza tym tam byłoby za zimno i zamarzłyby na śmierć.

Aha.

W dodatku nie wiedziałyby, gdzie jest Mars.

A my wiemy?

O tyle, o ile.

Gdybyśmy mieli rakietę, czy moglibyśmy tam dolecieć?

Hm. Gdybyśmy mieli naprawdę dobrą rakietę i ludzi do pomocy, to może tak.

A czy tam byłoby jedzenie i inne rzeczy?

Nie. Tam nic nie ma.

Aha.

Siedzieli przez długi czas. Na zwiniętych kocach, patrząc na drogę w obu kierunkach. Bezwietrznie. Nic. Po chwili chłopiec powiedział: Nie ma żadnych ptaków, prawda?

Nie.

Są tylko w książkach?

Tak. Tylko w książkach.

Nie myślałem, że tak jest.

Gotowy?

Tak.

Wstali, odstawili kubki i resztę krakersów. Mężczyzna wrzucił koce do wózka, przyczepił plandekę, a potem popatrzył na chłopca. Co?, spytał chłopiec.

Wiem, że myślałeś, że umieramy.

No tak.

Ale to nieprawda.

Nie.

No właśnie.

Mogę o coś spytać?

No pewnie.

Gdybym był ptakiem, to czy mógłbym polecieć do góry tak wysoko, że zobaczyłbym słońce?

Tak. Mógłbyś.

Tak właśnie myślałem. To byłoby bardzo fajne.

Tak, byłoby. Gotowy jesteś?

Tak.

Znieruchomiał. Co się stało z twoją piszczałką?

Wyrzuciłem ją.

Wyrzuciłeś?

Tak.

No dobrze.

Dobrze.

Z nastaniem długiego zmierzchu dotarli do rzeki, zatrzymali się i patrzyli zza betonowej balustrady na martwą wodę płynącą wolno poniżej. W oddali na całunie sadzy zarysy spalonego miasta jakby wyciętego z czarnej markizety. Zobaczyli je ponownie o zmroku, kiedy pchając ciężki wózek długą stromizną, przystanęli, żeby odpocząć, a mężczyzna ustawił wózek bokiem, by się nie stoczył. Ich maski zszarzały już wokół ust, a oczy okolone były ciemnymi obwódkami. Usiedli w popiele na poboczu i patrzyli na wschód, gdzie sylwetka miasta ciemniała w nadchodzącej nocy. Nie zobaczyli żadnych świateł.

Myślisz, że tam ktoś jest, tatusiu?

Nie wiem.

Kiedy możemy się zatrzymać?

Teraz.

Na wzgórzu?

Możemy podprowadzić wózek do tamtych skał i zakryć go gałęziami.

Czy to dobre miejsce na postój?

No wiesz, ludzie nie lubią się zatrzymywać na wzgórzach. A my nie lubimy, żeby ludzie się przy nas zatrzymywali.

A więc to dobre miejsce.

Tak mi się wydaje.

Jesteśmy sprytni.

Hm, nie bądźmy jednak za sprytni.

Dobrze.

Gotowy?

Tak.

Chłopiec wstał, wziął miotłę i oparł ją sobie na ramieniu. Spojrzał na ojca. Jakie są nasze długofalowe cele?, spytał.

Że co?

Jakie są nasze długofalowe cele.

Gdzieś ty to słyszał?

Nie wiem.

Nie, no powiedz.

Ty tak powiedziałeś.

Kiedy?

Dawno temu.

A jak brzmiała odpowiedź?

Nie wiem.

No ja też nie wiem. Chodź, idziemy. Robi się ciemno.

Późnym popołudniem następnego dnia wyłonili się zza zakrętu szosy i wtedy chłopiec zatrzymał się i położył dłoń na wózku. Tatusiu, szepnął. Mężczyzna podniósł wzrok. W oddali na drodze mała sylwetka, zgarbiona, powłócząca nogami.

Stał, oparty o rączkę wózka. Hm. Kto to jest?

Co zrobimy, tatusiu?

Może go wystawili na wabia.

Co mamy zrobić?

Idźmy za nim. Zobaczymy, czy się odwróci.

Dobrze.

Wędrowiec nie należał do tych, którzy oglądali się za siebie. Podążali jego śladem przez jakiś czas, a potem go dogonili. Starzec, mały i zgarbiony. Na plecach niósł wysłużony wojskowy plecak ze zrolowanym kocem, wspierając się okorowanym kijem jak laską. Gdy ich zobaczył, zszedł na bok, odwrócił się i stanął, zachowując czujność. Szczękę miał obwiązaną brudnym ręcznikiem, jak gdyby bolały go zęby, i nawet według norm nowego świata cuchnął przeraźliwie.

Nic nie mam, powiedział. Możecie sprawdzić, jak chcecie.

Nie jesteśmy rabusiami.

Przechylił głowę. Że co?, zawołał.

Mówię, że nie jesteśmy rabusiami.

A kim?

Nie było odpowiedzi na to pytanie. Wytarł nos wierzchem dłoni i czekał. Nie miał butów, stopy owinął w łachmany i tekturę związaną zielonym szpagatem, a z dziur i rozdarć wyzierały niezliczone warstwy wstrętnej tkaniny. Nagle jakby jeszcze bardziej zmizerniał. Oparł się na lasce, osunął i usiadł na drodze wśród popiołu, kładąc sobie rękę na głowie. Wyglądał jak sterta gałganów, która spadła z wozu. Podeszli i patrzyli na niego. Proszę pana, odezwał się mężczyzna. Proszę pana?

Chłopiec ukucnął i położył mu rękę na ramieniu. On się boi, tatusiu. On się boi.

Mężczyzna popatrzył w obie strony na drogę. Jeśli to zasadzka, on pierwszy oberwie, powiedział.

On się boi.

Powiedz, że nie zrobimy mu nic złego.

Starzec kręcił głową na boki, z dłonią zagrzebaną w brudnych włosach. Chłopiec spojrzał na ojca.

Może myśli, że nie jesteśmy prawdziwi.

A jacy?

Nie wiem.

Nie możemy tu zostać. Musimy iść.

On się boi.

Nie powinieneś go dotykać.

Może moglibyśmy dać mu coś do jedzenia?

Stał i patrzył na drogę. Cholera, szepnął. Spojrzał na starca. Może zmieni się w boga, a oni w drzewa. No dobrze, rzekł.

Odwiązał plandekę, odwinął ją, przejrzał konserwy i wyjął puszkę koktajlu owocowego, wyciągnął otwieracz z kieszeni, otworzył puszkę, odgiął wieczko, podszedł, ukucnął i podał ją chłopcu.

A łyżka?

Łyżki nie dostanie.

Chłopiec wziął puszkę i przysunął się do starca. Proszę, szepnął. Proszę wziąć.

Tamten podniósł wzrok i spojrzał na chłopca. Chłopiec podstawił mu puszkę. Wyglądał jak ktoś próbujący nakarmić sępa potrąconego na szosie. Wszystko dobrze, powiedział.

Starzec zdjął rękę z głowy. Zamrugał powiekami. Szaroniebieskie oczy na wpół zagubione w głęboko pooranej i powalanej sadzą twarzy.

Proszę wziąć, powiedział chłopiec.

Wyciągnął szponiastą dłoń, chwycił puszkę i przycisnął ją do piersi.

Proszę zjeść, rzekł chłopiec. To dobre. Przysunął wymownie dłonie do ust. Starzec spojrzał na puszkę. Zacisnął na niej palce i podniósł do góry, marszcząc nos. Długie pożółkłe pazury skrobały o metal. Potem przechylił puszkę i zaczął jeść. Sok spłynął po brudnej brodzie. Opuścił rękę, żując z trudem. Przy przełykaniu podrzucał głową. Patrz, tatusiu, szepnął chłopiec.

Widzę, odparł mężczyzna.

Chłopiec odwrócił się i spojrzał na niego.

Wiem, o co chcesz spytać. Odpowiedź brzmi nie.

A o co chcę spytać?

Czy możemy go ze sobą zabrać. Nie możemy.

Wiem.

Wiesz?

Tak.

To dobrze.

Możemy mu dać coś jeszcze?

Zobaczmy, jak poradzi sobie z tym, co już dostał.

Obserwowali jedzącego starca. Gdy skończył, trzymał puszkę, patrząc do środka, jak gdyby myślał, że pojawi się w niej coś więcej.

Co chcesz mu dać?

A myślisz, że co powinien dostać?

Myślę, że nie powinien dostać niczego. Pytam, co chcesz mu dać?

Moglibyśmy coś ugotować na kuchence. Mógłby zjeść z nami.

Mówisz o tym, żeby się zatrzymać? Na noc?

Tak.

Spojrzał na starca i na drogę. No dobrze, rzekł. Ale jutro ruszamy dalej.

Chłopiec milczał.

Nic więcej ode mnie nie wytargujesz.

Dobrze.

Dobrze znaczy dobrze. To nie znaczy, że jutro zaczniesz ze mną negocjować nowy układ.

Co znaczy negocjować?

To znaczy, że będziesz znowu o tym ze mną rozmawiał, chcąc coś uzyskać. Nie uzyskasz niczego więcej.

Dobrze.

To dobrze.

Pomogli starcowi wstać i podali mu laskę. Nie ważył nawet pięćdziesięciu kilogramów. Rozejrzał się dokoła niepewnie. Mężczyzna odebrał mu puszkę i rzucił ją między drzewa. Starzec chciał mu podać laskę, ale on ją odepchnął. Kiedy jadłeś ostatni raz?, spytał.

Nie wiem.

Nie pamiętasz?

Przed chwilą jadłem.

Chcesz z nami zjeść?

Nie wiem.

Nie wiesz?

Co zjeść?

Może trochę gulaszu z wołowiny. Z krakersami. I kawą.

Co mam zrobić?

Powiedz nam, gdzie podział się świat.

Co?

Nie musisz niczego robić. Dasz radę pójść?

Dam.

Spojrzał na chłopca. Jesteś małym chłopcem?, spytał.

Chłopiec popatrzył na ojca.

A na kogo według ciebie wygląda?, odparł mężczyzna.

Nie wiem. Nie widzę za dobrze.

Mnie widzisz?

Wiem, że ktoś tu stoi.

To dobrze. Musimy ruszać. Spojrzał na chłopca. Nie bierz go za rękę, powiedział.

Ale on nie widzi.

Nie bierz go za rękę. Idziemy.

Gdzie idziemy?, spytał starzec.

Idziemy jeść.

Skinął głową, wysunął rękę z kijem i postukał nim niepewnie w asfalt.

Ile masz lat?

Dziewięćdziesiąt.

Nieprawda.

No nie.

Mówisz tak wszystkim ludziom?
Jakim ludziom?
Jakimkolwiek.
No tak.
Żeby nie zrobili ci nic złego?
Tak.
I co, skutkuje?
Nie.
Co masz w plecaku?
Nic. Możesz sprawdzić.
Wiem, że mogę sprawdzić. Co masz?
Nic. Takie tam.
Nic do jedzenia?
Nie.
Jak się nazywasz?
Ely.
Ely i co dalej?
A Ely nie wystarczy?
Wystarczy. Idziemy.

Rozłożyli się obozem w lesie, o wiele bliżej drogi, niżby chciał. Musiał ciągnąć wózek, a chłopiec sterował nim od tyłu. Rozpalili ogień, żeby starzec mógł się ogrzać, choć to też było nierozsądne. Zjedli, a starzec siedział zawinięty w swoją jedyną kołdrę, ściskając łyżkę jak dziecko. Mieli tylko dwa kubki, więc kawę wypił z miski, z której jadł, zahaczając kciuki o jej brzeg. Siedział jak zagłodzony złachmaniony budda, wpatrując się w żar.

Wiesz, że nie możesz z nami iść?, powiedział mężczyzna.

Kiwnął głową.

Od jak dawna jesteś w drodze?

Zawsze byłem w drodze. Człowiek nie może usiedzieć w jednym miejscu.

Z czego żyjesz?

Po prostu żyję. Wiedziałem, że to się stanie.

Wiedziałeś?

Tak. Że stanie się to albo coś podobnego. Zawsze w to wierzyłem.

I co, próbowałeś się na to przygotować?

Nie. Bo co można zrobić?

Nie wiem.

Ludzie zawsze myśleli o jutrze. Ja w to nie wierzyłem. Bo jutro nie myślało o nich. Nawet nie wiedziało, że są.

Chyba tak.

Nawet gdybyś wiedział, co robić, i tak nie wiedziałbyś, co robić. Nie wiedziałbyś, czy chcesz to zrobić, czy nie. Przypuśćmy, że byłbyś ostatnim człowiekiem, który pozostał. Przypuśćmy, że zrobiłbyś sobie coś takiego.

Chciałbyś umrzeć?

Nie. Ale mógłbym żałować, że nie umarłem wcześniej. Bo gdy żyjesz, masz to zawsze przed sobą.

Albo może wolałbyś się nigdy nie urodzić.

Bo ja wiem? Jak się nie ma, co się lubi...

Uważasz, że to byłoby przesadne żądanie?

Co się stało, to się nie odstanie, poza tym głupotą jest żądać luksusów w takich czasach.

Chyba tak.

Nikt nie chce tu być i nikt nie chce się stąd wynieść. Podniósł głowę i spojrzał przez płomienie na chłopca. A potem na mężczyznę. W blasku ognia mężczyzna zobaczył jego małe oczy. Bóg jeden wie, co widzą. Wstał, by dorzucić drewna i zagarnąć węgle z martwych liści. Czerwone iskry uniosły się falą i zgasły w ciemności ponad ich głowami. Starzec dopił kawę, postawił przed sobą miskę i z wyciągniętymi rękami nachylił się ku ciepłu. Mężczyzna wpatrywał się w niego. Skąd wiedziałbyś, że jesteś ostatnim człowiekiem na ziemi?, spytał.

Chyba nie da się wiedzieć. Po prostu się jest.

Nikt by nie wiedział.

Wszystko jedno. Gdy umierasz, to tak, jakby umierali też inni.

Chyba Bóg by wiedział. Prawda?

Boga nie ma.

Nie?

Boga nie ma, a my jesteśmy jego prorokami.

Nie rozumiem, jak to możliwe, że żyjesz. Co jesz?

Nie wiem.
Nie wiesz?
Ludzie coś dają.
Ludzie?
Tak.
Dają jedzenie?
Jedzenie, tak.
Nieprawda.
Wyście mi dali.
Ja nie. To chłopiec ci dał.
Na drodze są inni. Wy nie jesteście jedyni.
A ty jesteś jedyny?
Starzec spojrzał czujnie. O co ci chodzi?, spytał.
Czy z tobą są inni ludzie?
Jacy ludzie?
Jacyś.
Nie ma żadnych ludzi. O czym ty mówisz?
O tobie. O tym, czym być może się zajmujesz.
Starzec milczał.
Pewnie chciałbyś z nami pójść?
Pójść z wami?
Tak.
Nie weźmiecie mnie.
A ty nie chcesz iść.
Nie doszedłbym nawet tutaj, ale byłem głodny.
A ci ludzie, którzy dają ci jedzenie? Gdzie oni są?
Nie ma żadnych ludzi. Zmyśliłem to.
Co jeszcze zmyśliłeś?

Jestem w drodze tak samo jak wy. Bez różnicy.

Naprawdę masz na imię Ely?

Nie.

Nie chcesz wyjawić swojego imienia?

Nie.

Dlaczego?

Bo nie mogę go wam powierzyć. Moglibyście coś z nim zrobić. Nie chcę, żeby ktokolwiek o mnie mówił. Żeby mówił, gdzie byłem albo co powiedziałem, kiedy gdzieś byłem. Teraz też możecie niby o mnie rozmawiać, ale nikt nie będzie mógł powiedzieć, że to ja. Bo ja mogę być kimkolwiek. Myślę, że w takich czasach im mniej się mówi, tym lepiej. Gdyby coś się stało, a my byśmy przetrwali i spotkalibyśmy się na drodze, to mielibyśmy o czym rozmawiać. Ale tak nie jest. Więc nie rozmawiamy.

Może i nie.

Nie chcesz się do tego przyznać przed chłopcem.

A czy ty nie jesteś po prostu naganiaczem bandy zbójów?

Nikim nie jestem. Odejdę, jeśli chcesz. Znajdę drogę.

Nie musisz.

Od dawna nie widziałem ognia, to wszystko. Żyję jak zwierzę. Lepiej, żebyś nie wiedział, co jem. Gdy zobaczyłem twojego chłopca, pomyślałem, że umarłem.

Myślałeś, że to anioł?

Nie wiedziałem, kto to. Nie spodziewałem się, że jeszcze kiedyś zobaczę dziecko. Nie wiedziałem, że coś takiego mi się przydarzy.

A gdybym ci powiedział, że to bóg?

Starzec pokręcił głową. To wszystko już jest poza mną. Od lat. Tam, gdzie ludzie nie mogą żyć, słabo wiedzie się również bogom. Przekonasz się. Najlepiej być samemu. Mam nadzieję, że powiedziałeś nieprawdę, bo bycie w drodze z ostatnim bogiem byłoby straszne, więc mam nadzieję, że to nieprawda. Sprawy lepiej się ułożą, gdy wszyscy umrą.

Ułożą się?

No pewnie.

Lepiej dla kogo?

Dla wszystkich.

Dla wszystkich?

No jasne. Wszyscy lepiej na tym wyjdziemy. Łatwiej nam będzie oddychać.

Dobrze wiedzieć.

A tak, dobrze. Gdy wszyscy wreszcie umrzemy, zostanie już tylko śmierć, a wtedy jej dni też będą policzone. Stanie na środku drogi, nie mając nic do roboty, nie mając nikogo do zabrania. I powie: Gdzie się wszyscy podziali? Tak to będzie. Co w tym złego?

Rankiem stanęli na drodze; mężczyzna i chłopiec sprzeczali się o to, co dać starcowi. W końcu dostał niewiele. Kilka puszek warzyw i owoców. Chłopiec zszedł na pobocze i usiadł w popiele. Starzec powkładał puszki do plecaka i zapiął paski. Powinieneś mu podziękować, wiesz?, rzekł mężczyzna. Ja nic bym ci nie dał.

Może powinienem, a może nie.

Dlaczego nie?

Bo ja też bym mu nic nie dał.

Nie obchodzi cię, że to może ranić jego uczucia?

A rani?

Nie. Nie zrobił tego po to, żebyś mu dziękował.

A po co?

Mężczyzna spojrzał na chłopca, a potem na starca. Nie zrozumiałbyś, rzekł. Nie jestem pewien, czy sam rozumiem.

Może wierzy w Boga?

Nie wiem, w co wierzy.

Przejdzie mu.

Nie przejdzie.

Starzec nie odpowiedział. Rozejrzał się wokoło.

Szczęścia też nam nie życzysz?, spytał mężczyzna.

Nie wiem, co to znaczy. Jak wygląda szczęście? Kto by wiedział coś takiego?

Potem poszli. Gdy spojrzał do tyłu, starzec już ruszył w drogę, postukując kijem, niknąc z wolna na szosie jak wędrowny bukinista z zamierzchłych czasów, ciemny, zgarbiony, cienki jak pająk — wkrótce przepadł na zawsze. Chłopiec ani razu się nie obejrzał.

Wczesnym popołudniem rozpostarli plandekę na drodze, usiedli i zjedli zimny posiłek. Mężczyzna przypatrywał się chłopcu. Znowu się nie odzywasz, powiedział.

Odzywam.

Ale zadowolony nie jesteś?

Wszystko jest dobrze.

Gdy skończy nam się jedzenie, będziesz miał więcej czasu, żeby to przemyśleć.

Chłopiec milczał. Jedli. Spojrzał do tyłu na drogę. Po chwili powiedział: Wiem. Ale ja to będę pamiętał inaczej niż ty.

Prawdopodobnie.

Nie powiedziałem, że nie miałeś racji.

Chociaż tak pomyślałeś.

Wszystko jest w porządku.

No tak, odparł mężczyzna. Hm. Na drodze rzadko trafiają się dobre nowiny. W takich czasach jak nasze.

Niepotrzebnie się z niego podśmiewałeś.

Zgoda.

On umrze.

Wiem.

Możemy już iść?

Tak, odrzekł mężczyzna. Możemy iść.

Nocą obudził go własny kaszel i kaszlał w zimnym mroku, aż rozbolały go płuca. Nachylił się do ognia i rozdmuchał żar, dołożył drewna, wstał i odszedł od obozowiska tak daleko, jak zaprowadziło go światło. Ukląkł w suchych liściach i popiele, z kocem zarzuconym na ramiona — po chwili kaszel minął. Pomyślał o starcu, znajdującym się gdzieś w ciemności. Spojrzał na obozowisko przez rząd drzew. Miał nadzieję, że chłopiec zasnął z powrotem. Klęczał, charcząc cicho, z dłońmi na kolanach. Umieram, rzekł. Powiedz mi, jak mam to zrobić.

Nazajutrz szli prawie do zmroku. Nie znaleźli miejsca, w którym mogliby bezpiecznie rozpalić ogień. Wydało mu się, że zbiornik z gazem jest bardzo lekki, gdy wyjmował go z wózka. Usiadł i przekręcił zawór, ale zawór był otwarty. Poruszył gałką przy palniku. Nic. Pochylił się i nasłuchiwał. Pokręcił oboma zaworami we wszystkich kombinacjach. Zbiornik był pusty. Zacisnął dłonie i siedział z pięściami przyłożonymi do czoła, z zamkniętymi oczami. Po chwili uniósł głowę i zapatrzył się w zimny, ciemniejący las.

Zjedli zimną kolację złożoną z chleba kukurydzianego, fasoli i parówek z puszki. Chłopiec spytał, jak to możliwe, że zbiornik już jest pusty, a mężczyzna odparł, że po prostu tak się stało.

Mówiłeś, że wystarczy na kilka tygodni.

Wiem.

A skończyło się po paru dniach.

Pomyliłem się.

Jedli w milczeniu. Po chwili chłopiec powiedział: Zapomniałem zakręcić zawór, prawda?

To nie twoja wina. Powinienem był sprawdzić.

Chłopiec odstawił talerz na plandekę. Popatrzył w bok.

To nie twoja wina. Trzeba zakręcać oba zawory. Gwint powinien być uszczelniony taśmą teflonową, inaczej jest luz, a ja o to nie zadbałem. Nie mówiłem ci.

Ale przecież nie mieliśmy żadnej taśmy, prawda?

To nie twoja wina.

Szli dalej, wychudzeni i brudni jak uliczni narkomani. Zakapturzeni w kocach w obronie przed zimnem, parujące oddechy, nogi powłóczące w czarnych, miałkich zaspach. Przemierzali szeroką nadmorską równinę, gdzie wśród wyjących kłębów popiołu ziemski wiatr gnał ich do szukania byle schronienia. W domach, stodołach albo za wałem przydrożnego rowu, koce naciągnięte na głowy, powyżej niebo południowej pory czarne jak kazamaty piekła. Przytulił chłopca, przemarzniętego do szpiku kości. Nie trać ducha, powiedział. Wszystko będzie dobrze.

Wypatroszona, spustoszona, jałowa kraina. Kości martwych stworzeń walające się w popiele. Śmietniki pełne nieokreślonych odpadków. Domy gospodarskie na polach odarte z farby, deski oblicówki podważone i wyrwane z umocowań. Wszystko pozbawione cienia i cech. Droga schodziła przez plątaninę martwej kudzu. Mokradło, sucha trzcina leżąca na wodzie. Za krańcem pól posępna mgła, która zaległa na ziemi i niebie. Późnym popołudniem zaczął padać śnieg, więc szli przykryci plandeką, a mokre płatki szeleściły na folii.

Od tygodni niewiele spał. Gdy obudził się rankiem, chłopca nie było, usiadł więc z rewolwerem w dłoni, a potem wstał i zaczął go szukać, ale nie znalazł. Wciągnął buty i poszedł na skraj lasu. Na wschodzie ponury świt. Obce słońce rozpoczynające swoją zimną wędrówkę. Zobaczył chłopca, biegnącego przez pole. Tatusiu, krzyknął. W lesie jest pociąg.

Pociąg?

Tak.

Prawdziwy pociąg?

Tak. Chodź.

Nie podszedłeś do niego?

Nie. Tylko trochę. Chodź.

Nikogo nie ma?

Chyba nie. Przybiegłem po ciebie.

I jest lokomotywa?

Tak. Duża, spalinowa.

Przeszli przez pole i zagłębili się między drzewa po drugiej stronie. Tory biegły z głębi kraju nasypem w las. Spalinowa lokomotywa, a za nią osiem wagonów pasażerskich z nierdzewnej stali. Mężczyzna wziął chłopca za rękę. Usiądźmy i popatrzmy, powiedział.

Siedzieli na nasypie i czekali. Nic się nie poruszało. Podał chłopcu rewolwer. Ty go trzymaj, tatusiu.

Nie. Umawialiśmy się inaczej. Bierz.

Chłopiec wziął rewolwer i położył go sobie na kolanach, a mężczyzna oddalił się w prawą stronę, stanął i patrzył na pociąg. Przeszedł przez szyny i ruszył wzdłuż wagonów. Wyłonił się zza ostatniego i zamachał do chłopca, a ten wstał i wcisnął rewolwer za pasek.

Wszystko pokrywał popiół. Przejścia między ławkami zaśmiecone. Na siedzeniach otwarte walizki, dawno zdjęte z półek i przetrząśnięte. W wagonie restauracyjnym znaleźli stos papierowych talerzy, więc zdmuchnął z nich kurz i schował pod kurtkę. Nic więcej.

Skąd on się tu wziął, tatusiu?

Nie wiem. Chyba jechali na południe. Grupa ludzi. Tutaj prawdopodobnie skończyło im się paliwo.
Od dawna tu stoi?
Tak. Tak mi się wydaje. Od bardzo dawna.

Przeszli przez ostatnie wagony, a potem wzdłuż torów do lokomotywy i wspięli się po drabince. Rdza i złuszczona farba. Wcisnęli się do kabiny, mężczyzna zdmuchnął popiół z fotela maszynisty i usadowił chłopca przy urządzeniach kontrolnych. Nie były skomplikowane. Właściwie wystarczyło pchnąć lekko dźwignię. Zaczął udawać odgłosy pociągu i wycie lokomotywy, ale nie wiedział, czy to cokolwiek znaczy dla chłopca. Po chwili patrzyli przez zamuloną szybę na miejsce, gdzie tory skręcały w nieużytki chwastów. Być może oglądali odmienne światy, ale wiedzieli to samo. Że pociąg zostanie tutaj na zawsze, powoli rozpadając się przez całą wieczność i że żaden inny już nigdy nie wyruszy w trasę.
Możemy iść, tatusiu?
Tak. Jasne, że możemy.

Od czasu do czasu natykali się na małe kopce usypane z kamieni przy drodze. Były to znaki z cygańskiego języka, zaginione wzory. Od dawna ich nie widział; pospolite na północy, prowadziły ze splądrowanych i zniszczonych miast, beznadziejne wołania do najbliższych, którzy zaginęli lub pomarli. W tamtym czasie wyczerpały się już zapasy żywności i po kraju szalał mord. Świat wkrótce zaludnili mężczyźni, którzy zjadali dzieci na oczach ich rodziców, a miasta opanowały bandy poczerniałych łupieżców, którzy drążyli tunele wśród ruin i wypełzali z gruzów białych od walających się zębów i oczu, niosąc w nylonowych siatkach nadpalone, nieokreślone puszki jedzenia jak klienci w kantynach piekła. Miękki czarny talk przetaczał się po ulicach niczym kałamarnica rozwijająca swe sploty na morskim dnie i zakradało się zimno, i zmierzch nadciągał wcześnie, a padlinożercy schodzący z pochodniami ze stromych kanionów wyciskali stopami dziury w nawianym miałkim popiele, dziury, które zamykały się za nimi bezgłośnie jak oczy. Na drogach pielgrzymi osuwali się, padali i oddawali ducha, a posępna, oblepiona mgłą Ziemia kręciła się poza Słońce i powracała, tak niewidoczna i nie oznaczona jak ścieżka jakiegoś bezimiennego siostrzanego świata w pradawnym mroku odległej przestrzeni.

Zapasy się kończyły, a do wybrzeża wciąż było daleko. Kraj ogołocono i splądrowano przed laty, więc niczego nie znaleźli w domach i budynkach przy drodze. Na stacji benzynowej zobaczył książkę telefoniczną, zatem ołówkiem napisał na mapie nazwę miasta. Usiedli na krawężniku przed budynkiem i zjedli krakersy, próbując odnaleźć miasto, ale bez skutku. Przejrzał po kolei sektory mapy i zaczął szukać od nowa. Wreszcie pokazał chłopcu. Byli mniej więcej siedemdziesiąt pięć kilometrów dalej na zachód, niż sądził. Narysował na mapie dwa ludziki. To my, powiedział. Chłopiec przeciągnął palcem po trasie w kierunku morza. Jak długo będziemy tam iść?, spytał.

Dwa tygodnie. Trzy.

Jest niebieskie?

Morze? Nie wiem. Kiedyś było.

Chłopiec kiwnął głową. Siedział wpatrzony w mapę. Mężczyzna go obserwował. Domyślał się, o co chodzi. Jako dziecko sam ślęczał nad mapami, palcem dźgając w miasto, w którym mieszkał. Tak samo wyszukiwał własną rodzinę w książce telefonicznej. Byli wśród innych, wszyscy na swoim miejscu. Mając uzasadnienie w świecie. Chodź, powiedział, musimy iść.

Późnym popołudniem rozpadał się deszcz. Zeszli z drogi na żwirówkę biegnącą przez pole i noc spędzili w szopie. Była tam betonowa podłoga, a w przeciwległym kącie stały puste stalowe beczki. Zatarasował nimi drzwi, rozpalił ogień na podłodze i z rozpłaszczonych pudeł kartonowych przygotował posłania. Deszcz bębnił w stalowy dach przez całą noc. Gdy mężczyzna się obudził, ogień już zgasł i było bardzo zimno. Chłopiec siedział zawinięty w koc.

Co się stało?

Nic. Miałem zły sen.

O czym?

O niczym.

Wszystko w porządku?

Nie.

Objął go ramieniem i przytulił. Już dobrze, powiedział.

Płakałem. Ale ty się nie obudziłeś.

Przepraszam. Po prostu jestem zmęczony.

Ale to we śnie tak było.

Rano, gdy się obudził, deszcz ustał. Słuchał powolnego kapania kropel. Przesunął biodra po twardym betonie i wyjrzał przez deski na szarą krainę. Chłopiec wciąż spał. Na podłodze kałuże ściekającej wody. Małe bąbelki pojawiały się, ślizgały i nikły. W pewnym mieście na przedgórzu spali w podobnym miejscu i też wtedy słuchali deszczu. Była tam staroświecka apteka z kontuarem z czarnego marmuru i chromowanymi stołkami o podartych plastikowych siedziskach poklejonych taśmą samoprzylepną. Aptekę splądrowano, ale zaplecze o dziwo było nietknięte. Na półkach stały nienaruszone kosztowne urządzenia elektroniczne. Rozglądał się dokoła. Rozmaitości. Asortymenty. Co to? Wziął chłopca za rękę i wyprowadził go na dwór, ale on zdążył zobaczyć. Na końcu kontuaru ludzka głowa pod kloszem. Wyschnięta. W baseballówce. Uwiędłe oczy smutno zwrócone do wnętrza. Czy to mu się przyśniło? Nie. Wstał, ukląkł, dmuchnął w żar, przyciągnął końce nadpalonej deski i rozpalił ogień.

Oprócz nas są inni dobrzy ludzie. Sam tak mówiłeś.

Są.

Gdzie?

Ukrywają się.

Przed kim?

Przed sobą nawzajem.

Dużo ich jest?

Nie wiem.

Trochę?

Tak, trochę.

Czy to prawda?

Prawda.

Ale może nie być prawdą.

Myślę, że prawda.

No dobrze.

Nie wierzysz mi?

Wierzę.

To dobrze.

Zawsze ci wierzę.

Nie wydaje mi się.

Tak. Muszę.

Przez błoto powędrowali z powrotem do szosy. W powietrzu woń ziemi i mokrego popiołu. W przydrożnym rowie ciemna woda. Sącząca się z żelaznego przepustu w kałużę. Na podwórku plastikowy jeleń. Pod koniec następnego dnia weszli do małego miasteczka, gdzie zza ciężarówki wyłoniło się trzech mężczyzn, którzy zatarasowali im drogę. Wynędzniali, ubrani w łachmany. W rękach żelazne rurki. Co macie w wózku? Wycelował z rewolweru. Zatrzymali się. Chłopiec przywarł do poły jego kurtki. Milczeli. Szarpnął wózkiem i ruszyli bokiem drogi. Potem kazał chłopcu go pchać, a sam szedł tyłem, mierząc z broni. Chciał wyglądać jak pospolity wędrowny zabójca, ale serce waliło mu młotem i czuł, że zaraz się rozkaszle. Weszli z powrotem na środek szosy, zatrzymali się i patrzyli. Włożył rewolwer za pasek, odwrócił się i przejął wózek. Gdy dotarli na szczyt wzniesienia, spojrzał do tyłu. Nadal tam stali. Kazał chłopcu pchać wózek, a sam przeszedł przez podwórko, skąd miał widok na drogę, ale wtedy już znikli. Chłopiec był przerażony. Mężczyzna położył rewolwer na plandece, przejął wózek i ruszyli.

Leżeli na polu do zmroku, obserwując drogę, ale nikt się nie pojawił. Było bardzo zimno. Gdy ściemniło się na tyle, że nie było nic widać, wyciągnęli wózek i wgramolili się z powrotem na drogę; wyjął koce, owinęli się nimi i ruszyli dalej, wyczuwając stopami asfalt. Jedno kółko zaczęło skrzypieć regularnie raz po raz, ale nic nie można było na to poradzić. Wędrowali przez parę godzin, a potem poczłapali w grząskie przydrożne krzaki i położyli się dygoczący i zmordowani na zimnej ziemi — spali aż do nadejścia dnia. Obudził się chory.

Dopadła go gorączka; leżeli w lesie jak zbiegowie. Nigdzie nie mogli rozpalić ogniska. Nigdzie nie było bezpiecznie. Chłopiec siedział w liściach i patrzył na niego. Mokrymi oczami. Czy ty umrzesz, tatusiu?, spytał. Umrzesz?

Nie. Jestem tylko chory.

Bardzo się boję.

Wiem. Ale nic się nie dzieje. Wydobrzeję, zobaczysz.

Sny pojaśniały. Powrócił utracony świat. Dawno umarli krewni wyrzuceni przez wodę na brzeg posyłali mu z ukosa mętne spojrzenia. Milczeli. Rozmyślał nad swoim życiem. Tak dawno temu. Szary dzień w obcym mieście, gdzie stał przy oknie i patrzył na ulicę poniżej. Z tyłu na drewnianym stoliku paliła się mała lampa. Obok niej książki i kartki.

Rozpadało się, a kot na rogu ulicy się odwrócił, przeszedł przez chodnik i usiadł pod markizą kawiarni. Przy stoliku siedziała kobieta z głową ukrytą w dłoniach. Wiele lat później stał w zwęglonych ruinach biblioteki, gdzie w kałużach wody leżały poczerniałe książki. Powywracane półki. Wyraz wściekłości wobec kłamstw uszeregowanych w nich tysiącami rząd za rzędem. Wziął jedną do ręki i przewertował napuchłe ciężkie kartki. Nie pomyślałby, że wartość najdrobniejszej rzeczy może zasadzać się na świecie, który nadejdzie. Był zdziwiony. Że sama przestrzeń, którą zajmowały te przedmioty, była oczekiwaniem. Upuścił książkę, rozejrzał się po raz ostatni dokoła i wyszedł na zimne, szare światło dnia.

Trzy dni. Cztery. Źle sypiał. Obudził go męczący kaszel. Chrapliwy haust powietrza. Przepraszam, powiedział do bezlitosnej ciemności. Nic się nie stało, odparł chłopiec.

Zapalił małą lampę naftową, postawił ją na skale, wstał i podreptał po suchych liściach, zawinięty w koce. Chłopiec poprosił szeptem, żeby nie odchodził. Będę niedaleko, odparł. Tuż obok. Usłyszę, jak byś zawołał. Jeśli lampa zgaśnie, nie odnajdzie powrotnej drogi. Usiadł w liściach na szczycie wzgórza i patrzył w czerń. Nic nie było widać. Ani śladu wiatru. W przeszłości, gdy odchodził tak jak teraz i siadał, żeby patrzeć na ledwo dostrzegalne zarysy ciągnącej się niżej krainy, gdzie zagubiony księżyc sunął nad kaustycznym pustkowiem, czasem dostrzegał światło. Nikłe i bezkształtne w pomroce. Po drugiej stronie rzeki albo głęboko wśród poczerniałych sektorów spalonego miasta. Czasem wracał rankiem z lornetką i lustrował okolicę w poszukiwaniu dymu, ale żadnego nigdy nie było.

Stał na skraju pola oziminy pośród prostych ludzi. Był w wieku chłopca. Lub trochę starszy. Patrzył, jak kilofem i oskardem rozpruwają skalisty stok, odsłaniając wielkie kłębowisko węży liczące może setkę. Stłoczonych w obronie przed chłodem. Matowe sznury ich ciał poruszające się niemrawo w zimnym ostrym świetle. Niczym wnętrzności jakiejś wielkiej bestii wystawione na świat. Ludzie oblali wszystkie benzyną, żeby je spalić żywcem, nie mając innego leku na zło jak tylko zniszczyć to, co postrzegali jako jego wizerunek. Płonące węże wiły się straszliwie, niektóre pełzały w płomieniach po dnie jamy, oświetlając jej ciemniejsze zakamarki. Były nieme, więc nie rozlegały się żadne okrzyki bólu, a ludzie w ciszy patrzyli, jak palą się, skręcają i czernieją, a o zmierzchu rozeszli się w milczeniu na wieczerzę, każdy zabierając własne myśli do domu.

Pewnej nocy chłopiec obudził się, ale nie chciał powiedzieć, co mu się śniło.

Nie musisz mi mówić, rzekł mężczyzna. Wszystko dobrze.

Boję się.

Wszystko w porządku.

Nieprawda.

To był tylko sen.

Bardzo się boję.

Wiem.

Chłopiec się odwrócił. Mężczyzna przygarnął go do siebie. Posłuchaj, rzekł.

Co?

Gdy śni ci się jakiś świat, którego nigdy nie było, albo taki, którego nigdy nie będzie, a ty znowu jesteś szczęśliwy, to oznacza, że się poddałeś. Rozumiesz? Nie możesz się poddać. Nie pozwolę ci.

Gdy ponownie ruszyli, był bardzo osłabiony i mimo całej swojej gadaniny podupadł na duchu, jak chyba nigdy dotąd. Utytłany od rozwolnienia, uwieszony rączki wózka sklepowego. Spojrzał na chłopca zapadłymi, półprzytomnymi oczami. Nowy dystans między nimi. Wyczuwał to. Po dwóch dniach dotarli do krainy, przez którą przetoczyły się pożary, pozostawiając za sobą całe kilometry pogorzelisk. Kilkunastocentymetrowa warstwa popiołu na szosie, utrudniająca pchanie wózka. Asfalt pod spodem odkształcił się od gorąca, a potem zastygł. Mężczyzna oparł się na rączce i spojrzał przed siebie na długą prostą drogę. Cienkie drzewa przewrócone. Wody szarą breją. Poczerniała kraina strachów na wróble.

Na tym bezludziu natknęli się za skrzyżowaniem na mienie wędrowców porzucone na drodze przed laty. Skrzynie i torby. Wszystko stopione i czarne. Stare plastikowe walizki powyginane bezkształtnie od gorąca. Tu i tam odcisk przedmiotu wyrwanego z asfaltu przez padlinożerców. Półtora kilometra dalej natrafili na zmarłych. Sylwetki na wpół wessane w asfalt, ściskające siebie, z rozwartymi do krzyku ustami. Położył dłoń na ramieniu chłopca. Weź mnie za rękę, powiedział. Nie powinieneś na to patrzeć.

Bo to, co wkładasz do głowy, zostaje w niej na zawsze?

Tak.

Wszystko w porządku, tatusiu.

W porządku?

To już tam jest.

Nie chcę, żebyś na to patrzył.

I tak w niej zostaną.

Zatrzymał się i pochylił nad wózkiem. Popatrzył na drogę, a potem na chłopca. Osobliwie niewzruszonego.

Idźmy po prostu dalej, tatusiu.
Tak. Dobrze.
Próbowali uciec, prawda?
Tak, próbowali.
Dlaczego nie zeszli z drogi?
Nie mogli. Wszystko stało w ogniu.

Przedzierali się pośród zmumifikowanych postaci. Czarna skóra rozpięta na kościach, twarze spękane, skurczone na czaszkach. Jak ofiary jakiegoś upiornego enwakuumowania. Mijali ich w milczeniu korytarzem między zaspami nawianego popiołu, a tamci zmagali się po wsze czasy z zimnym lepiszczem drogi.

Minęli przydrożną wioskę spaloną do szczętu. Jakieś metalowe zbiorniki, kilka stojących przewodów kominowych z poczerniałej cegły. Żużlowe kałuże stopionego szkła w rowach, nieizolowane druty wysokiego napięcia pordzewiałą plątaniną ciągnące się przez kilometry skrajem drogi. Kaszlał co krok. Zobaczył, że chłopiec mu się przygląda. To o nim myślał. I powinien.

Usiedli na drodze i zjedli resztę podpłomyków twardych jak suchary oraz ostatnią puszkę tuńczyka. Potem otworzył puszkę suszonych śliwek, którymi się podzielili. Chłopiec dopił sok, a później siedział z puszką na kolanach, wycierając ją w środku palcem i wkładając go do ust.

Nie skalecz się, powiedział mężczyzna.

Zawsze to mówisz.

Wiem.

Obserwował, jak wylizuje wieczko. Starannie. Jak kot liżący własne odbicie w szybie. Przestań się na mnie patrzeć, powiedział chłopiec.

Dobrze.

Zamknął wieczko i postawił puszkę na drodze przed sobą. Co?, spytał. O co chodzi?

O nic.

Powiedz.

Wydaje mi się, że ktoś za nami idzie.

Tak właśnie myślałem.

Tak myślałeś?

Tak. Myślałem, że właśnie to powiesz. I co zrobimy?

Nie wiem.

A jak myślisz?

Pójdziemy dalej. Schowamy nasze śmieci.

Bo inaczej pomyśleliby, że mamy mnóstwo jedzenia?

Tak.

I próbowaliby nas zabić?

Nie zabiją nas.

Ale mogą spróbować?

Nic nam nie grozi.

To dobrze.

Myślę, że powinniśmy się zaczaić w trzcinie i poczekać. Zobaczyć, kto to jest.

I ilu.

I ilu. Tak.

Dobrze.

Jak przejdziemy strumień, to po drugiej stronie będziemy mogli wejść na stromiznę i obserwować z niej drogę.

Dobrze.

Znajdziemy sobie miejsce.

Wstali i wrzucili koce do wózka. Weź puszkę, powiedział.

Długi zmierzch miał się już ku końcowi, gdy wreszcie droga przecięła strumień. Podreptali mostem i zaczęli toczyć wózek po lesie, szukając miejsca, w którym mogliby go ukryć. Stanęli i popatrzyli do tyłu na drogę w półmroku.

Może wciągniemy go pod most?, spytał chłopiec.

A jeśli zejdą po wodę?

Myślisz, że daleko są?

Nie wiem.

Robi się ciemno.

Wiem.

A jak nas miną po ciemku?

Znajdźmy miejsce, z którego będziemy mogli obserwować drogę. Jeszcze trochę widać.

Ukryli wózek, wzięli koce, weszli na stok wśród skał i zagrzebali się w miejscu, skąd między drzewami widzieli mniej więcej kilometrowy odcinek szosy. Osłonięci od wiatru, owinęli się kocami i na zmianę pełnili straż, ale po chwili chłopiec zasnął. On sam też już zasypiał, gdy nagle zobaczył sylwetkę, która ukazała się i znieruchomiała na szczycie wzgórza. Zaraz potem pojawiły się dwie następne. Potem czwarta. Stanęli w grupie. Później ruszyli dalej. Ledwo ich dostrzegał w gęstniejącym mroku. Pomyślał, że być może zatrzymają się zaraz na noc, więc pożałował, że nie wybrał miejsca położonego dalej od drogi. Zeszli ze wzgórza i skierowali się na most. Trzech mężczyzn i kobieta. Miała kaczy chód, a gdy byli bliżej, zobaczył, że jest w ciąży. Mężczyźni nieśli plecaki, kobieta małą walizkę z materiału. Wszyscy wynędzniali nie do opisania. Lekka para z ust. Zeszli z mostu i pociągnęli dalej drogą, następnie znikli po kolei w czekającej ciemności.

Mimo to noc była długa. Gdy rozjaśniło się na tyle, że widział cokolwiek, włożył buty, podniósł się, owinął kocem, wyszedł z kryjówki i stanął, patrząc na drogę. Nagi popielaty las, dalej pola. Wciąż dostrzegalne karbowane zarysy starych bruzd. Chyba bawełna. Chłopiec spał, więc mężczyzna poszedł do wózka, wyjął mapę, butelkę wody i puszkę owoców z kończących się zapasów, a potem wrócił, usiadł w kocach i zaczął czytać mapę.

Zawsze ci się wydaje, że zaszliśmy dalej niż naprawdę.

Przesunął palec. No to tutaj.

Jeszcze.

Tutaj.

Dobrze.

Złożył wiotkie, spleśniałe kartki. No więc dobrze, powiedział.

Siedzieli i patrzyli na drogę między drzewami.

Myślisz, że twoi dziadowie patrzą? Że ważą cię na szali? Według jakich kryteriów? Nie ma szali, a dziadowie leżą martwi w ziemi.

Sosna przeszła w dąb wirginijski i sosnę. Magnolie. Drzewa martwe tak jak wszystko. Podniósł jeden ciężki liść, starł go w dłoni na proch i przesiał przez palce.

Nazajutrz wcześnie rano byli już w drodze. Nie zaszli daleko, gdy nagle chłopiec pociągnął go za rękaw i stanęli. Z przodu pośród drzew wznosił się cienki słup dymu. Patrzyli.

Co zrobimy, tatusiu?

Może powinniśmy tam zajrzeć.

Lepiej chodźmy dalej.

A jeśli oni idą w tę samą stronę?

No to co?, spytał chłopiec.

Będziemy ich mieli za plecami. Wolałbym wiedzieć, kim są.

A jeżeli to wojsko?

Przecież to małe ognisko.

Więc poczekajmy.

Nie możemy czekać. Jedzenie nam się kończy. Musimy iść dalej.

Zostawili wózek między drzewami; mężczyzna sprawdził rozkład nabojów w bębenku. Drewniane i prawdziwy. Stali, nasłuchując. Dym wznosił się pionowo w nieruchomym powietrzu. Żadnych odgłosów. Liście miękkie od niedawnych deszczów były bezgłośne pod stopą. Odwrócił się i spojrzał na chłopca. Mała brudna buzia okrągła ze strachu. Obeszli ognisko w sporej odległości, chłopiec trzymając go za rękę. Mężczyzna ukucnął, objął go ramieniem i długo nasłuchiwali. Chyba sobie poszli, szepnął.

Co?

Chyba sobie poszli. Pewnie wystawili czujkę.

Tatusiu, może to zasadzka.

Dobrze, zaczekajmy chwilę.

Czekali. Widzieli dym między drzewami. Wiatr zaczął rozwiewać szczyt słupa, dym się przesunął i poczuli swąd. I woń jedzenia. Okrążmy ognisko, rzekł mężczyzna.

Mogę cię trzymać za rękę?

Oczywiście, że możesz.

Drzewa były tylko spalonymi pniami. Nic do oglądania. Chyba nas zobaczyli, powiedział. Chyba nas zobaczyli i uciekli. Widzieli, że mamy rewolwer.

Zostawili gotowe jedzenie.

Tak. Zajrzyjmy tam.

Boję się, tatusiu.

Nikogo nie ma. Wszystko będzie dobrze.

Weszli na małą polanę, chłopiec ściskając mężczyznę za rękę. Tamci zabrali wszystko oprócz czegoś czarnego, co wisiało nad żarem. Stanął i patrzył po obwodzie, gdy nagle chłopiec odwrócił się i wcisnął twarz w jego brzuch. Mężczyzna rzucił szybkie spojrzenie, żeby się zorientować, co się stało. O co chodzi?, spytał. O co chodzi? Chłopiec kręcił głową. Och, tatusiu. Mężczyzna obrócił się i popatrzył jeszcze raz. Wreszcie zobaczył to samo co chłopiec, zwęglonego noworodka bez główki, wypatroszonego, czerniejącego na szpikulcu rożna. Nachylił się, podniósł chłopca i ruszył w kierunku drogi, tuląc go do siebie. Przepraszam, szepnął. Przepraszam.

Nie wiedział, czy on kiedykolwiek jeszcze się odezwie. Obozowali nad rzeką; siedział przy ogniu, słuchając szumu wody w ciemności. Nie było to bezpieczne miejsce, bo odgłos rzeki zagłuszał inne hałasy, ale uznał, że to może rozweseli chłopca. Zjedli ostatni prowiant, potem sięgnął po mapę. Zmierzył trasę kawałkiem sznurka, spojrzał i zmierzył znowu. Ciągle daleko do wybrzeża. Nie wiedział, co tam zastaną. Złożył strzępy mapy, wcisnął wszystkie z powrotem do foliowej torebki i siedział wpatrzony w żar.

Nazajutrz wąskim mostem z żelaza przekroczyli rzekę i weszli do starego miasteczka przemysłowego. Sprawdzili drewniane domy, ale niczego nie znaleźli. Na ganku siedział mężczyzna w kombinezonie, martwy od lat. Wyglądał jak słomiana kukła wystawiona na znak jakiegoś święta. Ruszyli wzdłuż ciemnej fabrycznej ściany, okna zamurowane. Przed nimi po ulicach gnała miałka czarna sadza.

Dziwne przedmioty walające się przy drodze. Urządzenia elektryczne, meble. Narzędzia. Rzeczy porzucone dawno temu przez pielgrzymów idących na spotkanie samotnej lub zbiorowej śmierci. Jeszcze rok wcześniej chłopiec wziąłby coś, żeby nieść przez chwilę, ale teraz już tego nie robił. Usiedli dla odpoczynku, wypili resztkę dobrej wody, a potem zostawili plastikowy baniak na drodze. Chłopiec powiedział: Gdybyśmy mieli to malutkie dziecko, mogłoby pójść z nami.

Tak. Mogłoby.

Gdzie je znaleźli?

Nie odpowiedział.

Może gdzieś jest inne?

Nie wiem. To możliwe.

Przepraszam za to, co powiedziałem o tych ludziach.

Jakich ludziach?

Co się spalili. Tych, co utknęli na drodze i się spalili.

Mówiłeś coś złego? Nie wiedziałem.

To nie było nic złego. Możemy już iść?

Dobrze. Chcesz pojechać w wózku?

Nie, tak jest dobrze.

Może chociaż przez chwilę?

Nie chcę. Tak jest dobrze.

Leniwa woda w płaskiej krainie. Trzęsawiska przy drodze, nieruchome i szare. Serpentyny rzek na wyjałowionych polach nadmorskiej równiny. Szli dalej. Z przodu pochyły teren i kępa trzciny. Tam chyba jest most, powiedział mężczyzna. I prawdopodobnie strumień.

Możemy się napić wody?

Nie mamy wyboru.

Nie rozchorujemy się?

Chyba nie. Ale może strumień wysechł.

Mogę pójść przodem?

Tak. Oczywiście, że możesz.

Chłopiec ruszył drogą. Mężczyzna od dawna nie widział go biegnącego. Łokcie wystawione na boki, człapiący w za dużych tenisówkach. Stanął i patrzył, zagryzając wargę.

Strumień okazał się zaledwie strużką. Mężczyzna patrzył, jak woda porusza się nieznacznie w miejscu, gdzie przesączała się do betonowego drenu pod drogą, i splunął na dół, żeby zobaczyć, czy ślina popłynie. Z wózka wyjął kawałek materiału i plastikowy słoik, wrócił, owinął materiałem otwór naczynia, zanurzył je i patrzył, jak się napełnia. Wyjął słoik i podniósł go ociekającego wodą do światła. Wyglądało nieźle. Zdjął materiał i podał słoik chłopcu. Pij, powiedział.

Chłopiec napił się i wyciągnął z powrotem rękę.

Wypij więcej.

Teraz ty, tatusiu.

Dobrze.

Usiedli, odsączali popiół z wody i pili, aż napełnili brzuchy. Chłopiec położył się na plecach w trawie.

Musimy iść.

Jestem zmęczony.

Wiem.

Mężczyzna patrzył na niego. Nie jedli od dwóch dni. Za kolejne dwa zaczną słabnąć. Wszedł na nasyp pośród trzciny, żeby spojrzeć na drogę. Ciemna, czarna, zatarta, przecinająca otwarty teren. Wiatr zwiał popiół i kurz z nawierzchni. Żyzne dawniej pola. Żadnych oznak życia gdziekolwiek. To była kraina, której nie znał. Nazw miast i rzek. Chodź, powiedział. Musimy iść.

Spali coraz więcej. Niejeden raz budzili się, leżąc na środku drogi jak ofiary wypadku. Sen śmierci. Usiadł i sięgnął po rewolwer. Stanął w ołowianym zmierzchu, oparty łokciami na rączce wózka, patrząc przez pola na dom widoczny może półtora kilometra dalej. To chłopiec go wypatrzył. Wyłaniał się i nikł w zasłonie sadzy jak dom w mętnym śnie. Mężczyzna pochylił się nad wózkiem i spojrzał na chłopca. To będzie wymagało trochę zachodu. Trzeba wziąć koce. Ukryć wózek gdzieś przy drodze. Zdążą dojść przed zmrokiem, ale nie dadzą rady wrócić.

Musimy tam zajrzeć. Nie mamy wyboru.

Nie chcę.

Nie jedliśmy od paru dni.

Nie jestem głodny.

Jasne. Jesteś zagłodzony.

Nie chcę tam iść, tatusiu.

Tam nikogo nie ma. Gwarantuję.

Skąd wiesz?

Po prostu wiem.

Ktoś może być.
Nie ma nikogo. Wszystko będzie dobrze.

Ruszyli polami okutani w koce, niosąc tylko butelkę wody i rewolwer. Kiedyś zboże zżęto po raz ostatni i z ziemi sterczały teraz łodygi rżyska i wciąż było widać nikły ślad tarczy słonecznej ciągnącej ze wschodu na zachód. Padało niedawno, więc grunt był grząski pod stopami, a mężczyzna wpatrywał się w ziemię — wkrótce zatrzymał się i podniósł grot strzały. Splunął na niego, wytarł go o nogawkę spodni i podał chłopcu. Biały kwarc, doskonale zachowany, jak w dniu, gdy go wykonano. Jest ich więcej, powiedział. Patrz na ziemię, to zobaczysz. Znalazł jeszcze dwa. Szary krzemień. A potem wypatrzył monetę. Albo guzik. Gruba skorupa śniedzi. Podrapał paznokciem kciuka. Moneta. Wyjął nóż i zaczął skrobać ostrożnie. Hiszpańskie napisy. Zawołał chłopca, który wysforował się do przodu, a później rozejrzał się po szarej krainie i szarym niebie, upuścił monetę i przyspieszył kroku, żeby nadgonić.

Stali i patrzyli na dom od frontu. Żwirowy podjazd skręcający na południe. Loggia z cegieł. Dwuskrzydłowe drzwi, które otwierały się na portyk z kolumnami. Na tyłach przyległy ceglany budynek, który dawniej mógł służyć za kuchnię. Dalej chata z bali. Ruszył po schodach, ale chłopiec pociągnął go za rękaw.

Możemy chwilę zaczekać?

Dobrze. Ale robi się ciemno.

Wiem.

No dobrze.

Usiedli na stopniach i spojrzeli w dal.

Nikogo tu nie ma, powiedział mężczyzna.

Dobrze.

Ciągle się boisz?

Tak.

Wszystko w porządku.

Dobrze.

Weszli po schodach na szeroką werandę wyłożoną kostką brukową. Otwarte drzwi pomalowane na czarno, zabezpieczone przed zamknięciem blokiem żużlu. Suche liście i chwasty nawiane do środka. Chłopiec uwieszony jego ręki. Dlaczego drzwi są otwarte, tatusiu?

Po prostu są. Pewnie tak jest od lat. Może ludzie, którzy tu byli ostatnio, przyblokowali je, żeby wynieść różne rzeczy.

Nie powinniśmy poczekać do jutra?

Chodź. Zajrzymy szybko. Zanim się ściemni. Jak sprawdzimy teren, to może będziemy mogli rozpalić ognisko.

Ale w domu nie zostaniemy?

Nie musimy.

Dobrze.

Łyk wody?

Dobrze.

Wyjął butelkę z bocznej kieszeni kurtki, zdjął zakrętkę i patrzył, jak chłopiec pije. Potem sam się napił, zakręcił butelkę, wziął chłopca za rękę i weszli do ciemnego holu. Wysokie ściany. Kryształowy żyrandol. Na półpiętrze schodów wysokie okno palladiańskie i ledwo widoczny jego cień na ścianie z przodu w gasnącym świetle dnia.

Nie musimy iść na górę, prawda?, szepnął chłopiec.

Nie. Może jutro.

Jak już sprawdzimy teren.

Tak.

Dobrze.

Weszli do salonu. Zarys dywanu pod miałkim popiołem. Meble okryte płachtami. Blade kwadraty na ścianach, w miejscach, gdzie dawniej wisiały obrazy. W pokoju po drugiej stronie holu stał fortepian. Ich własne sylwetki pokrojone w cienkiej, mętnej szybie. Weszli i stanęli, nasłuchując. Przechadzali się po pomieszczeniach jak sceptyczni nabywcy nieruchomości. Zatrzymali się i popatrzyli przez wysokie okna na ciemniejącą krainę.

W kuchni były sztućce, garnki i angielska porcelana. Spiżarnia, której drzwi zamknęły się cicho za nimi. Terakota na podłodze i rzędy półek, a na nich kilkanaście litrowych słoików. Zbliżył się, wziął jeden do ręki i zdmuchnął z niego kurz. Fasolka szparagowa. Wśród uporządkowanych rzędów plasterki czerwonej papryki. Pomidory. Kukurydza. Młode ziemniaki. Piżman jadalny. Chłopiec go obserwował. Mężczyzna starł kurz z zakrętek słoików i kciukiem podważył wieka na próbę. Ściemniało się szybko. Podszedł z dwoma słoikami do okna, podniósł je i obrócił. Spojrzał na chłopca. To może być trucizna, powiedział. Będziemy musieli porządnie ugotować. Dobrze?

Nie wiem.

Co chciałbyś, żebyśmy zrobili?

Ty powiedz.

Obaj musimy powiedzieć.

Myślisz, że to dobre?

Myślę, że jeśli porządnie to ugotujemy, będzie dobre.

No dobrze. Ale jak myślisz, dlaczego nikt tego nie zjadł?

Bo chyba nikt tego nie znalazł. Z drogi domu nie widać.

Myśmy widzieli.

Nie my, to ty zobaczyłeś.

Chłopiec wpatrywał się w słoiki.

Co myślisz?, spytał mężczyzna.

Że raczej nie mamy wyboru.

Chyba masz rację. Znajdźmy jakieś drewno, bo zaraz się ściemni.

Przez drzwi kuchenne wnieśli do jadalni naręcza suchych gałęzi, połamali je na patyki i zapełnili nimi kominek. Gdy rozpalił ogień, kłęby dymu zaczęły się piąć po pomalowanym drewnianym nadprożu, dotarły do sufitu i wróciły na dół. Mężczyzna przewiał płomienie czasopismem, po chwili zaczął się ciąg w kominie i ogień zahuczał w pokoju, oświetlając ściany, sufit i szklany żyrandol o niezliczonych fasetach. Płomienie rozjarzyły ciemniejącą szybę w oknie, przy którym stała zakapturzona sylwetka chłopca — przypominał trolla, który wyłonił się z mroków nocy. Wydawał się odurzony ciepłem. Mężczyzna ściągnął płachty z długiego stołu empire ustawionego pośrodku pokoju, wytrzepał je i ułożył z nich gniazdo przed paleniskiem. Posadził chłopca, zdjął mu buty i odwiązał brudne łachmany, którymi miał owinięte stopy. Wszystko dobrze, szepnął. Wszystko dobrze.

W szufladzie w kuchni znalazł świeczki, zapalił dwie, skapnął roztopiony wosk na blat i postawił je na nim. Wyszedł na dwór, przyniósł więcej drewna i zrzucił stertę obok kominka. Chłopiec ani drgnął. W kuchni były garnki i rondle, więc wytarł jeden, postawił go na blacie, a potem spróbował otworzyć pierwszy słoik, ale nie dał rady. Wziął słoik z fasolką i drugi z ziemniakami, poszedł do drzwi wejściowych i przy blasku świecy ustawionej w szklance ukląkł, włożył na ukos pierwszy słoik między drzwi a framugę i domknął drzwi. Potem przykucnął w holu, zahaczył stopę o drzwi, pociągnął je dodatkowo i obrócił słoik trzymany w rękach. Zakrętka o karbowanej krawędzi też się poruszyła, zdzierając farbę z drewna. Chwycił mocniej za szkło, docisnął drzwi i spróbował jeszcze raz. Wieczko najpierw ześlizgnęło się, a potem znieruchomiało. Obrócił powoli słoik w rękach, wyjął go, zdjął zakrętkę i odstawił wszystko na podłogę. Następnie otworzył drugi słoik, a potem wstał i wrócił z oboma do kuchni, w drugiej ręce trzymając szklankę ze świeczką, która chwiała się i trzeszczała płomieniem. Spróbował kciukiem podważyć wieczka pozostałych słoików, ale były zakręcone zbyt mocno. Uznał, że to dobry znak. Zahaczył krawędź o blat i uderzył z góry pięścią, a wtedy wieczko odskoczyło i upadło na podłogę, on zaś podniósł słoik do twarzy i powąchał. Pachniało smakowicie. Wrzucił fasolkę i ziemniaki do rondla w jadalni i postawił na ogniu.

Jedli powoli z porcelanowych miseczek, siedząc po przeciwnych stronach stołu, a między nimi paliła się pojedyncza świeczka. Pod ręką rewolwer jak kolejny sztuciec. Ogrzewany dom skrzypiał i trzeszczał. Niczym coś wybudzanego z długiej hibernacji. Chłopiec usnął nad miseczką, a jego łyżka spadła z brzdękiem na podłogę. Mężczyzna wstał, wyszedł zza stołu, wziął chłopca, zaniósł go do kominka, położył na płachtach i przykrył kocami. Potem najwyraźniej wrócił do stołu, bo w nocy obudził się siedząc przy nim, z głową wciśniętą w zgięte ręce. W pokoju było zimno, a na zewnątrz wył wiatr. Szyby okienne grzechotały cicho we framugach. Świeczka się wypaliła, ogień przygasł do żaru. Wstał, rozpalił ponownie w kominku, usiadł obok chłopca, naciągnął na niego koce i odgarnął mu brudne włosy z czoła. Myślę, że może patrzą, powiedział. Wypatrują czegoś, czego nawet śmierć nie potrafi odczynić, a jeśli tego nie zobaczą, odwrócą się od nas na zawsze.

Chłopiec nie chciał, żeby mężczyzna szedł na piętro. Ten próbował przemówić mu do rozsądku. Tam mogą być koce, powiedział. Musimy zajrzeć.

Nie chcę, żebyś tam chodził.

Tam nikogo nie ma.

Może jest.

Nie ma nikogo. Przecież do tej pory już dawno by zszedł.

Może się boją?

Powiem, że nie zrobimy im nic złego.

Może nie żyją.

To nie będą mieli pretensji, że coś zabierzemy. Posłuchaj, cokolwiek tam jest, lepiej o tym wiedzieć, niż nie wiedzieć.

Dlaczego?

Dlaczego? Bo nie lubimy niespodzianek. Niespodzianki napędzają stracha. A my nie lubimy się bać. Na piętrze mogą być rzeczy, które nam się przydadzą. Musimy tam zajrzeć.

Dobrze.

Dobrze? Tylko tyle?

No a co? Ty i tak mnie nie posłuchasz.

Słucham cię.

Nie bardzo.

Nikogo tu nie ma. Od lat nikogo tu nie było. W popiele nie ma żadnych śladów. Wszystko nietknięte. W kominku nie ma spalonych mebli. I jest jedzenie.

Ślady nie zostają w popiele. Sam tak mówiłeś. Wiatr je rozwiewa.

Idę na górę.

Zostali w domu przez cztery dni, jedząc i śpiąc. Na piętrze znalazł więcej koców, przyciągnęli też z dworu ogromne stosy gałęzi, które usypali w kącie, żeby wyschły. Znalazł starą piłę ręczną z drewna i drutu, którą pociął suche gałęzie na kawałki. Zęby piły były zardzewiałe i tępe, więc usiadł przed kominkiem i próbował naostrzyć pilnikiem, ale bez większego powodzenia. Około stu metrów od domu płynął strumyk, skąd dźwigał po ściernisku i błocie niezliczone wiadra wody, którą podgrzewali i w której kąpali się, napełniwszy wannę obok sypialni na parterze; obciął sobie i chłopcu włosy i się ogolił. Mieli odzież, poduszki i koce z górnych pokojów, przygotowali dla siebie nowe ubrania, spodnie dla chłopca przycięte nożem do odpowiedniego rozmiaru. Przed kominkiem ułożył posłanie i przysunął wysoką komodę, by służyła za wezgłowie i zatrzymywała ciepło. Przez cały czas padało. Podstawił wiadra pod wyloty rynien na rogach domu, by mieli świeżą wodę, która spływała po metalowych panelach dachu — nocą słyszał bębnienie deszczu na piętrze i kapanie po domu.

Przetrząsnęli dobudówki w poszukiwaniu czegoś przydatnego. Znalazł taczkę, więc wyciągnął ją, przewrócił i pokręcił powoli kołem, sprawdzając oponę. Guma była łysa i spękana, ale pomyślał, że być może jest szczelna, zatem przeszukał stare skrzynie i gąszcz narzędzi — wygrzebał stamtąd pompkę rowerową, którą podłączył końcem przewodu do zaworka opony, i zaczął pompować. Powietrze umykało przy brzegach, więc obrócił koło, kazał chłopcu trzymać oponę i wreszcie ją napompował. Odkręcił przewód, postawił taczkę i potoczył nią po podłodze w tę i z powrotem. Potem wystawił ją na dwór, by deszcz obmył z niej brud. Gdy wyruszyli dwa dni później, przejaśniło się — szli błotnistą drogą, pchając taczkę z nowymi kocami i słoikami marynowanego jedzenia owiniętymi w zapasowe ubrania. Wcześniej mężczyzna znalazł parę butów roboczych, które włożył, a chłopiec miał na sobie niebieskie tenisówki z czubkami zapchanymi szmatą, do tego obaj na twarzach świeże maski z płacht. Gdy dotarli do asfaltu, musieli zawrócić, żeby zabrać wózek, ale to było niespełna półtora kilometra. Chłopiec szedł obok, z jedną ręką na taczce. Dobrze się spisaliśmy, prawda, tatusiu? Tak, owszem.

Najadali się, ale wciąż było daleko do wybrzeża. Zdawał sobie sprawę, że łudzi się nadzieją wbrew wszystkiemu. Miał nadzieję, że tam będzie jaśniej, a przecież z dnia na dzień świat ciemniał coraz bardziej. Kiedyś wygrzebał światłomierz w sklepie fotograficznym i przyszło mu do głowy, żeby go używać — na podstawie jego wskazań mógłby przez kilka miesięcy ustalać średnie naświetlenie, więc nosił go ze sobą długo, sądząc, że znajdzie do niego baterie, ale nie znalazł. Nocami, gdy budził się z kaszlem, siadał, trzymając się ręką za głowę w obronie przed ciemnością. Jak człowiek budzący się w grobie. Jak ci odkopani zmarli z jego dzieciństwa, których przeniesiono gdzie indziej, by zrobić miejsce dla autostrady. Wielu zmarło w trakcie epidemii cholery, więc pochowano ich pospiesznie w drewnianych skrzyniach, które przegniły i się porozpadały. Umarli wyłonili się na światło dzienne, leżąc na boku z podkurczonymi nogami, a niektórzy spoczywając na brzuchu. Na poplamione i zbutwiałe dna trumien sypnęły się z kasy ich oczodołów zaśniedziałe zabytkowe miedziaki.

Stali w sklepie spożywczym w małym miasteczku, gdzie na ścianie wisiał jeleni łeb. Chłopiec patrzył długo na niego. Na podłodze leżało rozbite szkło, więc mężczyzna kazał chłopcu zaczekać przy drzwiach, a sam stopami w roboczych butach przekopał śmieci, ale niczego nie znalazł. Na zewnątrz znajdowały się dwa dystrybutory, zatem usiedli na betonowej zatoczce i opuścili małą puszkę na sznurku do podziemnego zbiornika, wyciągnęli ją, przelali kapkę benzyny do plastikowego baniaka i znów ją opuścili. Do puszki przywiązali krótką rurkę dla lepszego zanurzenia i jak małpoludy grzebiące kijami w mrowisku siedzieli przykucnięci nad zbiornikiem przez prawie godzinę, aż wreszcie napełnili baniak. Potem mężczyzna zakręcił go, postawił na dolnej półce wózka i ruszyli dalej.

Długie dnie. Otwarty teren z popiołem przetaczającym się przez drogę. Nocami chłopiec siedział przy ognisku, z kawałkami mapy na kolanach. Nauczył się na pamięć nazw miast i rzek i codziennie mierzył postępy w marszu.

Jedli coraz oszczędniej. Niewiele zostało. Chłopiec stał na drodze, trzymając mapę. Nasłuchiwali, lecz panowała cisza. A jednak na wschodzie ciągnął się otwarty teren i powietrze było inne. W końcu, wychodząc zza zakrętu drogi, dotarli do celu — przystanęli, a słony wiatr rozwiewał im włosy, bo wcześniej zsunęli kaptury, żeby nasłuchiwać. Przed nimi była szara plaża, a dalej przewalające się matowe, ołowiane grzywacze i odległy ich szum. Jak spustoszenie dokonane przez obce morze, które natarło na brzeg nieznanego świata. Na równi pływowej stał przekrzywiony tankowiec. Dalej bezmierny, zimny ocean, poruszający się ociężale jak gorący żużel bulgoczący w kadzi i jeszcze szara szkwałowa linia popiołu. Popatrzył na chłopca. Zobaczył rozczarowanie na jego twarzy. Przykro mi, że nie jest niebieskie, powiedział. W porządku, tatusiu.

Godzinę później siedzieli na plaży, obserwując ścianę smogu na widnokręgu. Z piętami wbitymi w piasek patrzyli na posępne morze przelewające się u ich stóp. Zimne. Spustoszone. Bez ptaków. Zostawili wózek w krzakach za wydmami i zabrali koce, a teraz siedzieli okutani pod osłoną wielkiej kłody drewna wyrzuconej przez morze. Siedzieli długo.

Poniżej na brzegu zatoki pokos małych sponiewieranych kości. Dalej wybielone przez sól żebra tego, co chyba było kiedyś bydłem. Szary kożuch soli na skałach. Wiał wiatr, suche strąki gnały po piasku, zastygały i ruszały dalej.

Myślisz, że tam są statki?
Nie sądzę.
Nie widzieliby daleko.
Nie.
Co jest po drugiej stronie?
Nic.
Coś musi być.
Może jest tam ojciec z małym synem i siedzą razem na plaży?
To byłoby fajnie.
Tak, to byłoby fajnie.
I oni też nieśliby ogień?
Możliwe. Tak.
Ale nie wiemy na pewno?
Nie wiemy.
Więc musimy być czujni.
Czujni. Tak.
Jak długo możemy tu zostać?
Nie wiem. Ale nie mamy prawie nic do jedzenia.
Wiem.
Podoba ci się tutaj?
Tak.

Mnie też.

Mogę popływać?

Popływać?

Tak.

Odmrozisz sobie pupę.

Wiem.

Woda jest naprawdę zimna. Bardziej niż ci się wydaje.

To nic.

Nie chcę potem wchodzić po ciebie.

Uważasz, że nie powinienem iść?

Możesz iść.

Ale uważasz, że nie powinienem?

Nie. Uważam, że powinieneś.

Naprawdę?

Tak, naprawdę.

Dobrze.

Podniósł się i zsunął koc na piasek, a potem zdjął kurtkę, buty i całe ubranie. Stał nagi, obejmując się za ramiona i podskakując. Później rzucił się biegiem do wody. Jaki blady. Guzowate kości kręgosłupa. Kanciaste łopatki piłujące pod białą skórą. Popędził goły i skoczył z wrzaskiem w przelewające się powoli fale.

Gdy wyszedł, był siny z zimna i dzwonił zębami. Mężczyzna ruszył ku niemu, zawinął go rozdygotanego w koc i tulił do siebie, póki nie przestał dyszeć. Potem spojrzał i zobaczył, że chłopiec płacze. Co się stało? Nic. Nie, nie, powiedz mi. Nic. Nic się nie stało.

Z nadejściem mroku rozpalili ognisko przy kłodzie i zjedli talerze piżmanu i fasoli oraz ostatnie ziemniaki z puszki. Owoce dawno się skończyły. Wypili herbatę, siedzieli przy ogniu, a później zasnęli na piasku, słuchając szumu fal w zatoce. Narastały długo, opadały. W nocy podniósł się, odszedł na kilka kroków i stanął na plaży, owinięty kocami. Za ciemno, by cokolwiek widzieć. Posmak soli na ustach. Czekanie. Czekanie. Potem powolny huk sunący ku brzegowi. Sycząca kotłowanina, która przetaczała się po plaży i zaraz rzucała do odwrotu. Mężczyzna pomyślał, że na morzu wciąż mogą być statki śmierci, dryfujące z wywieszonymi jęzorami postrzępionych żagli. Albo życie w odmętach. Wielkie kałamarnice gramolące się po dnie w zimnej ciemności. Mijające się jak pociągi. Ślepia wielkości spodków. A być może za tymi zawoalowanymi falami jakiś mężczyzna idzie z dzieckiem po szarych martwych piaskach. Śpią oddzieleni tylko jednym morzem na innej plaży, wśród zapiekłych popiołów świata, albo stoją w łachmanach, wystawieni na to samo obojętne słońce.

Pamiętał, że w jedną taką noc obudził go grzechot krabów w garnku, w którym wieczorem zostawił kości po kotletach. Nikły, głęboki żar z ogniska pulsujący na wietrze od morza. Leżeli pod bezlikiem gwiazd. Czarny widnokrąg. Podniósł się, odszedł na kilka kroków, stanął bosy na piasku i patrzył, jak blada fala pojawia się przy brzegu, przetacza, rozbija i znów znika w ciemności. Wrócił do ognia, ukląkł, pogładził ją śpiącą po włosach i powiedział, że gdyby był Bogiem, to stworzony przez niego świat byłby dokładnie taki, żaden inny.

Gdy wrócił, chłopiec nie spał i był przestraszony. Wołał, ale zbyt cicho, więc nie było słychać. Mężczyzna objął go. Nie słyszałem, powiedział. Nie słyszałem przez te fale. Dołożył drewna, powachlował ogień ręką, następnie leżeli w kocach, patrząc na płomienie wijące się na wietrze, a potem zasnęli.

Rankiem rozniecił ogień, zjedli i patrzyli na brzeg. Zimny, dżdżysty, dość podobny do pejzaży morskich w północnych regionach świata. Żadnych mew ani nadmorskich ptaków. Zwęglone, bezsensowne przedmioty rozsiane po piasku i podskakujące na falach. Zebrali drewno na stos, okryli je plandeką i ruszyli brzegiem. Przesiewamy plażę, powiedział.

Jak to?

Idziemy plażą, wypatrując różnych wartościowych rzeczy, które woda mogła wyrzucić.

Jakich rzeczy?

Najprzeróżniejszych. Wszystkiego, co nada się do użytku.

Myślisz, że coś znajdziemy?

Nie wiem. Zobaczmy.

Zobaczmy, odparł chłopiec.

Stali na kamiennym molu i patrzyli na południe. W kałuży szara plwocina soli, uporczywa i falująca. Dalej długi łuk plaży. Szarej jak piasek lawowy. Wiatr bijący od wody niósł lekką woń jodu. Nic więcej. Nie pachniało morzem. Na skałach resztki jakiegoś ciemnego mchu. Ruszyli na drugą stronę i dalej. Na końcu drogę zagradzał przylądek, więc zeszli z plaży, skierowali się starą ścieżką pomiędzy wydmami i martwą uniolą, aż dotarli do płaskiego krańca cypla. Niżej tylko języczek lądu zawoalowany przez ciemne paprochy nawiewane na brzeg, a dalej tuż nad powierzchnią sylwetka jachtu przewróconego na bok. Przykucnęli wśród kęp suchej trawy i patrzyli. Co zrobimy?, spytał chłopiec.

Poobserwujmy chwilę.

Zimno mi.

Wiem. Zejdźmy trochę niżej. Poza zasięg wiatru.

Usiadł i trzymał chłopca przed sobą. Martwa trawa trzepotała lekko. Dalej szare spustoszenie. Niekończące się pełzanie morza. Jak długo musimy tu siedzieć?, odezwał się chłopiec.

Niedługo.
Myślisz, tatusiu, że na tym statku są ludzie?
Nie wydaje mi się.
Boby pospadali?
Tak. Widzisz tam jakieś ślady?
Nie.
Zaczekajmy jeszcze chwilę.
Zimno mi.

Szli półkolistym odcinkiem plaży, trzymając się twardego piasku, tuż przy linii morskich śmieci. Stanęli, a ich ubranie łopotało łagodnie. Szklane pławy pokryte szarą skorupą. Kości ptaków. Na linii przypływu maty utkane z wodorostów i rybie ości jak okiem sięgnąć ciągnące się milionami wzdłuż brzegu niczym izoklina śmierci. Jeden olbrzymi grobowiec solny. Bez sensu. Bez sensu.

Od krańca cypla jacht dzieliło może trzydzieści metrów otwartego morza. Stali i patrzyli. Długi na mniej więcej osiemnaście metrów, z ogołoconym pokładem, przechylony w wodzie głębokiej na trzy, trzy i pół metra. Dawniej dwumasztowiec, ale maszty odłamano przy samym dole i na wierzchu pozostały tylko jakieś mosiężne prowadnice oraz parę podpór relingowych na krawędzi pokładu. Do tego stalowa obręcz koła sterowego wystająca na tyle kokpitu. Odwrócił się, zapatrzył na plażę i leżące dalej wydmy. Następnie oddał chłopcu rewolwer, usiadł na piasku i zaczął rozsznurowywać buty.

Co robisz, tatusiu?

Idę tam zajrzeć.

Mogę iść tobą?

Nie. Chcę, żebyś tu został.

Ja chcę iść.

Musisz trzymać straż. Poza tym tam jest głęboko.

Będzie cię widać?

Tak. Będę sprawdzał co z tobą. Żeby się upewnić, że wszystko jest w porządku.

Ja chcę razem.

Przystanął. Nie możesz iść, odparł. Wiatr zwieje nasze ubranie. Ktoś musi tego pilnować.

Zwinął wszystko w tobołek. Boże, ale zimno. Nachylił się i pocałował chłopca w czoło. Przestań się martwić, powiedział. Trzymaj straż. Wszedł nagi do wody, stanął i zmoczył ciało. Potem zagłębił się i z pluskiem zanurkował głową naprzód.

Przepłynął całą długość stalowego kadłuba, a potem zawrócił, trzymając usta nad wodą, dysząc z zimna. Na śródokręciu ledwo wystawał reling. Podciągnął się do pawęży. Stal była szara i wyżarta przez sól, ale dostrzegł złote litery. Pájaro de Esperanza. Teneryfa. Para pustych dawisów. Uchwycił się relingu i podźwignął na górę, obrócił się i rozdygotany przykucnął na deskach pochyłego pokładu.

Kilka odcinków plecionej liny pękniętej przy ściągaczach. Dziury w poharatanym drewnie po wyrwanym osprzęcie. Jakaś straszliwa siła ogołociła pokład. Zamachał do chłopca, ale on nie zareagował.

Kabina była niska, z wypukłym sufitem i iluminatorami po boku. Przykucnął, starł szarą sól i zajrzał do środka, ale niczego nie zobaczył. Szarpnął za niskie drzwi z drzewa tekowego, lecz były zamknięte. Natarł kościstym ramieniem. Rozejrzał się w poszukiwaniu czegoś, czym mógłby je wyważyć. Dygotał niepohamowanie i dzwonił zębami. Pomyślał, żeby kopnąć w drzwi podeszwą stopy, ale uznał, że to kiepski pomysł. Chwycił się ręką za łokieć i grzmotnął w drzwi ponownie. Poczuł, że ustępują. Odrobinę. Nie ustawał. Framuga zaczęła pękać po wewnętrznej stronie i wreszcie drzwi puściły, więc pchnął je na oścież i ruszył zejściówką do kabiny.

Zastałe ścieki w niższej przegrodzie zapełnionej mokrymi papierzyskami i śmieciami. Nad wszystkim kwaśny odór. Wilgotne i lepkie. Myślał, że jacht splądrowano, ale to było dzieło morza. Pośrodku salonu stół z mahoniu z poręczą na zawiasach. Drzwi szafek wiszące na oścież nad podłogą, wszystkie mosiężne elementy z matową zielenią. Ruszył w głąb do kabin na przedzie. Przez kambuz. Mąka i kawa na podłodze, zgniecione i rdzewiejące puszki. Toaleta z sedesem i umywalką ze stali nierdzewnej. Przez rząd górnych iluminatorów wpadało nikłe morskie światło. Wszędzie porozrzucane przybory. Nadmuchiwana kamizelka ratunkowa pływająca w ściekach.

Właściwie spodziewał się jakichś potworności, ale niczego takiego nie było. Materace w kabinie zrzucone na podłogę, a pod ścianą stos pościeli i ubrań. Wszystko mokre. Na dziobie otwarta na oścież szafa, w środku zbyt ciemno, by coś zobaczył. Skłonił głowę, wszedł i zaczął szukać po omacku. Głębokie skrzynie z drewnianymi wiekami na zawiasach. Na podłodze stosy marynarskiego sprzętu. Zaczął to wszystko wyjmować i układać na pochyłym łóżku. Koce, komplet odzieży sztormowej. Znalazł wilgotny sweter i wciągnął go przez głowę. Wygrzebał parę żółtych kaloszy i kurtkę z ortalionu, włożył ją i zapiął suwak, włożył też sztywne żółte spodnie z kompletu sztormowego, napinając szelki na ramionach, a potem jeszcze kalosze. Wrócił na pokład. Chłopiec siedział tak jak przedtem, obserwując jacht. Zerwał się strwożony, a mężczyzna uświadomił sobie, że w nowym ubraniu wygląda obco. To ja, zawołał, ale on tylko stał, więc zamachał do niego i znów zszedł pod pokład.

W drugiej prywatnej kabinie nadal znajdowały się szuflady pod koją, więc podniósł je i wysunął.

Podręczniki i papiery po hiszpańsku. Kostki mydła. Czarna skórzana walizka pokryta pleśnią, zawierająca kartki. Włożył mydło do kieszeni kurtki i wstał. Na koi walały się hiszpańskie książki, napuchłe i bezkształtne. Jedna wciśnięta w stojak na przedniej przegrodzie.

Znalazł worek z płótna gumowanego, po czym przetrząsnął resztę jachtu, człapiąc w kaloszach, odpychając się od przegród w obronie przed przechyłem, a żółte nieprzemakalne spodnie trzeszczały na zimnie. Wypchał worek odzieżą. Para kobiecych butów sportowych, które może będą pasować na chłopca. Scyzoryk o drewnianej rękojeści. Okulary przeciwsłoneczne. W jego poszukiwaniach kryło się coś perwersyjnego. Jakby zgubionego przedmiotu wypatrywał najpierw w najmniej prawdopodobnych miejscach. Wreszcie poszedł do kambuza. Włączył i wyłączył kuchenkę.

Odsunął zasuwę i uniósł właz prowadzący do maszynowni. W środku woda do połowy i nieprzeniknione ciemno. Żadnej woni benzyny ani oleju. Zatrzasnął właz. W kokpicie były ławy, a w nich wbudowane szafki, zawierające poduszki, płótno żeglarskie, sprzęt wędkarski. W szafce za trzonem koła sterowego znalazł zwoje nylonowej liny, stalowe butle z gazem i skrzynkę narzędziową z włókna szklanego. Usiadł na podłodze w kokpicie i przejrzał narzędzia. Zardzewiałe, ale zdatne do użytku. Obcęgi, śrubokręty, klucze. Zamknął skrzynkę na haczyk, wstał i popatrzył na brzeg. Chłopiec siedział skulony na piasku, śpiąc z głową na stercie ubrań.

Ruszył ze skrzynką i jedną butlą do kambuza, a potem po raz ostatni obszedł prywatne kabiny. Następnie zaczął sprawdzać szafki w mesie, przetrząsając plastikowe pudła pełne folderów i papierzysk, szukając dziennika pokładowego. W drewnianej skrzynce wypełnionej trocinami znalazł nie używany komplet porcelany. Większość popękana. Serwis dla ośmiu osób, z nazwą jachtu. Prezent, pomyślał. Wyjął filiżankę, obrócił ją w dłoni i odłożył na miejsce. Na końcu znalazł kwadratową dębową skrzynkę łączoną na zacios, z mosiężną tabliczką przymocowaną do wieka. Pomyślał, że to może humidor, ale kształt był nieodpowiedni, a gdy wziął ją w palce i zważył na dłoni, od razu domyślił się, co to jest. Odpiął skorodowane klamerki i otworzył. W środku znajdował się mosiężny sekstant, prawdopodobnie sprzed stu lat. Wyjął go z wgłębionego środka i trzymał w ręce. Porażony jego pięknem. Mosiądz był zmatowiały, widniały na nim ślady zieleni, przybierające kształt innej dłoni, która trzymała go kiedyś, ale oprócz tego zachował się w idealnym stanie. Starł śniedź z tabliczki na podstawce. Hezzaninth, London. Przyłożył oko do lunetki i obrócił ramieniem. Był to pierwszy przedmiot, który go poruszył od dawna. Trzymał sekstant w ręku, a potem włożył go z powrotem w niebieski ryps, którym wymoszczono skrzynkę, opuścił wieko, zatrzasnął klamerki, wsunął w skrzynkę do szafki i zamknął drzwiczki.

Kiedy wyszedł na pokład i spojrzał w kierunku lądu, chłopca nie było. Błysk paniki — po czym zobaczył go schodzącego plażą, z rewolwerem w dłoni, ze spuszczoną głową. Stojąc, poczuł, jak kadłub unosi się i przesuwa. Odrobinę. Nadchodził przypływ. Liżący kamienie mola. Odwrócił się i zszedł z powrotem do kabiny.

Zabrał z szafki dwa zwoje liny, zmierzył rozstawem dłoni ich średnice, następnie policzył liczbę splotów. Piętnastometrowe. Powiesił je na prowadnicy na szarym pokładzie i znów zszedł do kabiny. Zebrał wszystko i ułożył przy stole. W szafce obok kambuza były plastikowe baniaki, ale tylko jeden zawierał wodę. Wziął pusty, zobaczył, że plastik jest popękany, a woda wyciekła — domyślił się, że zamarzły gdzieś podczas jednego z bezcelowych rejsów jachtu. Prawdopodobnie kilka razy. Wziął do połowy napełniony baniak, postawił go na stole, odkręcił zakrętkę, powąchał wodę, następnie ujął baniak w obie dłonie i się napił. Potem znowu.

Puszki leżące na podłodze w kambuzie wyglądały na stracone i nawet te, które stały w szafce, były okropnie zardzewiałe albo miały złowrogi bombaż. Ze wszystkich zdarto etykiety, a o zawartości informowały hiszpańskie napisy wykonane czarnym flamastrem na metalu. Niektórych nie rozumiał. Przejrzał je, potrząsając, ściskając w dłoni. Ustawił wszystkie na ladzie nad małą lodówką. Sądził, że gdzieś w luku muszą się znajdować kartony z żywnością, ale wątpił, żeby coś nadawało się do jedzenia. Poza tym wózek miał ograniczoną pojemność. Przyszło mu na myśl, że ten łut szczęścia przyjął z postawą niebezpiecznie bliską beznamiętności, ale i tak powtórzył to, co mówił wcześniej. Że fart może wcale nie być fartem. Niewiele nocy przeleżał w mroku, kiedy to nie zazdrościł umarłym.

Znalazł puszkę oliwy i parę puszek mleka. Herbatę w pordzewiałym metalowym pojemniku. Plastikowy kontener z jakimś jedzeniem, którego nie rozpoznał. Do połowy pełną puszkę kawy. Metodycznie przeglądał półki w szafce, rozdzielając to, co zabierze, od tego, co zostawi. Potem zaniósł rzeczy do mesy i ułożył przy zejściówce, następnie wrócił do kambuza, otworzył skrzynkę z narzędziami i wziął się do odkręcania palnika z kuchenki na kardanach. Odłączył opleciony przewód, zdjął aluminiowe ruszty z palników i włożył jeden do kieszeni kurtki. Kluczem francuskim odkręcił mosiężne zamocowania i poluźnił palniki. Odczepił jeden po drugim, potem przymocował wąż do przedłużki, a drugi jego koniec do butli z gazem i zaniósł wszystko do mesy. Wreszcie z brezentu zrobił tobołek, do którego włożył puszki soku, owoców i warzyw, związał go sznurkiem, rozebrał się, dorzucił ubranie do zgromadzonych rzeczy, wyszedł nagi na pokład, ześlizgnął się z brezentem ku relingowi, przesadził go i skoczył do szarego, lodowatego morza.

Brodząc w ostatnich promieniach światła, wygramolił się na brzeg, zrzucił brezent, starł dłonią wodę z rąk i piersi i poszedł po ubranie. Chłopiec ruszył za nim. Wypytywał go o ramię, sine i odbarwione od uderzeń w drzwi. Wszystko w porządku, odparł mężczyzna. Nie boli. Mamy mnóstwo rzeczy. Poczekaj, sam zobaczysz.

Szli szybkim krokiem po plaży na tle światła. A jeśli woda zabierze statek?, spytał chłopiec.

Nie zabierze.

Może zabrać.

Nie zabierze. Chodź. Jesteś głodny?

Tak.

Dzisiaj sobie podjemy. Ale musimy się uwijać.

Spieszę się, tatusiu.
Może zacząć padać.
Skąd wiesz?
Czuję zapach.
Jaki?
Mokrego popiołu. Chodź.
Nagle przystanął. Gdzie rewolwer?
Chłopiec zmartwiał. Miał przerażoną minę.
Chryste, powiedział mężczyzna. Obejrzał się w kierunku plaży. Jacht już zniknął z oczu. Spojrzał na chłopca. Chłopiec trzymał się za głowę i był bliski płaczu. Przepraszam, powiedział. Bardzo przepraszam.
Odstawił brezent z konserwami. Musimy wrócić.
Przepraszam, tatusiu.
Wszystko w porządku. On tam będzie.
Chłopiec stał ze ściągniętymi ramionami. Rozszlochał się. Mężczyzna ukląkł i objął go. Nic się nie stało, powiedział. To ja powinienem pilnować rewolweru, ale nie upilnowałem. Zapomniałem.
Przepraszam, tatusiu.
Chodź. Nic się nie stało. Wszystko w porządku.

Rewolwer leżał na piasku tam, gdzie go zostawili. Mężczyzna podniósł go, potrząsnął nim, usiadł, wyciągnął żerdź bębenka i podał ją chłopcu. Trzymaj, powiedział.
W porządku, tatusiu?
Oczywiście, że w porządku.

Wytoczył bębenek na dłoń, zdmuchnął z niego piasek, podał bębenek chłopcu, następnie przedmuchał lufę i korpus, po czym wziął od chłopca części, złożył wszystko, odbezpieczył rewolwer, opuścił kurek i odbezpieczył jeszcze raz. Ustawił bębenek tak, by prawdziwy nabój był przy iglicy, opuścił kurek, schował broń do kurtki i wstał. Wszystko w porządku, rzekł. Idziemy.

Czy noc nas dopadnie?

Nie wiem.

Dopadnie, prawda?

Chodź. Pospieszmy się.

Dopadła. Gdy dotarli do ścieżki na cyplu, ściemniło się już tak, że niczego nie było widać. Stali na wietrze bijącym od morza, chłopiec ściskając mężczyznę za rękę, a dokoła szumiała trawa. Musimy iść dalej, powiedział. Chodź.

Nic nie widzę.

Wiem. Będziemy szli krok po kroku.

Dobrze.

Trzymaj się mnie.

Dobrze.

Żeby nie wiem co.

Żeby nie wiem co.

Posuwali się w idealnej ciemności, nie widząc niczego jak ślepcy. Wyciągnął do przodu rękę, choć na tym solnym wrzosowisku nie było niczego, na co mógłby się natknąć. Odgłos fal się oddalał, lecz mężczyzna orientował się w terenie także za pomocą wiatru; po blisko godzinie dreptania wyłonili się z trawy i unioli i stanęli znowu na suchym piasku wysokiej plaży. Wiatr się oziębił. Mężczyzna osłonił chłopca ciałem, gdy nagle w ciemności przed nimi pojawił się rozdygotany brzeg i znikł.

Co to było, tatusiu?

W porządku. To błyskawica. Chodź.

Zarzucił sobie brezent z konserwami na ramię, wziął chłopca za rękę i ruszyli dalej, człapiąc po piasku jak konie paradne, potykając się o drewno i wodorosty wyrzucone przez morze. Dziwaczne szare światło znów rozbłysło nad plażą. Daleko w mroku przetoczył się stłumiony grzmot. Chyba widzę nasze ślady, powiedział mężczyzna.

Czyli idziemy w dobrą stronę?

Tak. W dobrą.

Strasznie mi zimno, tatusiu.

Wiem. Módl się o błyskawicę.

Szli dalej. Kiedy światło znów zamigotało nad plażą, mężczyzna zobaczył, że chłopiec skulony szepcze coś do siebie. Wypatrywał ich własnych śladów ciągnących od morza, ale bezskutecznie. Wiatr narastał i mężczyzna czekał na pierwsze smagnięcia deszczu. Jeśli burza dopadnie ich w nocy na plaży, będą w kłopocie. Odwrócili twarze od wiatru, przytrzymując kaptury kurtek. Pędzący w ciemności piasek grzechotał o ich nogi, a blisko brzegu trzasnął grzmot. Deszcz uderzył mocno od morza, z ukosa, kłując w twarz, więc mężczyzna przygarnął chłopca do siebie.

Stali w ulewie. Jak daleko zabrnęli? Czekał na błyskawice, ale te słabły, a gdy pojawiła się następna i jeszcze jedna, zrozumiał, że burza zmyła ich ślady. Człapali po piasku na górnym odcinku plaży, mając nadzieję, że wypatrzą zarysy kłody, przy której obozowali. Wkrótce burza minęła. Następnie wiatr zmienił kierunek i mężczyzna usłyszał odległy słaby stukot. Przystanął. Posłuchaj, powiedział.

Co to?

Słuchaj.

Nic nie słyszę.

Chodź.

Co to jest, tatusiu?

Plandeka. Deszcz pada na plandekę.

Szli dalej, potykając się w piasku i śmieciach na linii przypływu. Zaraz potem odnaleźli plandekę, mężczyzna ukląkł, upuścił tobołek i zaczął macać dokoła rękoma w poszukiwaniu kamieni, żeby obciążyć folię, po czym wepchnął je pod spód. Naciągnął plandekę na siebie i chłopca i przygniótł kamieniami skraj od środka. Zdjął z niego mokrą kurtkę i rozpostarł koce, a deszcz bębnił w nich przez folię. Zrzucił z siebie parkę, przytulił mocno chłopca i szybko zasnęli.

W nocy deszcz ustał, a on obudził się i leżał, nasłuchując. Ciężki szum i huk fal, gdy już ucichł wiatr. Wstał o pierwszym brzasku i zszedł na plażę. Burza zaśmieciła brzeg, więc ruszył wzdłuż linii przypływu, wypatrując czegokolwiek zdatnego do użytku. Na płyciźnie za falochronem stary trup unoszący się wśród dryfującego drewna. Żałował, że nie może tego ukryć przed chłopcem, ale chłopiec miał rację. Co tu było do ukrycia? Gdy wrócił, on już się obudził, siedział na piasku i patrzył. Okutany w koce, rozłożył wcześniej mokre kurtki na martwych wodorostach, by wyschły. Mężczyzna podszedł i usadowił się obok — siedzieli we dwóch, patrząc na ołowiane morze unoszące się i opadające za przybrzeżnymi falami.

Przez większość ranka rozładowywali jacht. Podtrzymywał ogień i nagi, dygoczący wychodził z wody na plażę, rzucał linę holowniczą i przystawał w cieple płomieni, a chłopiec ciągnął marynarski wór przez leniwe fale aż na brzeg. Opróżnili wór, rozpostarli koce i ubrania na ciepłym piasku, żeby wyschły przy ogniu. Na jachcie było więcej rzeczy, niż dali radę unieść, a mężczyzna pomyślał, że mogliby pozostać na plaży przez kilka dni i najeść się do syta, ale to było niebezpieczne. Tej nocy spali na piasku, z ogniskiem powstrzymującym chłód, z rzeczami rozsypanymi dokoła. Obudził się z kaszlem, wstał, napił się wody i przyciągnął więcej drewna do ognia, całe kłody, z których wytrysnęła wielka kaskada iskier. Przesolone drewno płonęło w sercu ogniska pomarańczową i niebieską barwą — mężczyzna długo na to patrzył. Później wyszedł na plażę, rzucając na piasek długi cień, chwiejący się od wiatru w ognisku. Kaszel. Kaszel. Zgięty wpół, trzymał się za kolana. Smak krwi. Powolna fala pełzała, kipiąc w mroku, a on zaczął rozmyślać o swoim życiu, ale nie było żadnego życia, o którym mógłby rozmyślać, więc po chwili wrócił. Wyjął puszkę brzoskwiń z worka, otworzył ją, usiadł przed ogniem i zjadł powoli owoce łyżką, a chłopiec spał. Ogień migotał na wietrze, iskry gnały po piasku. Pustą puszkę ustawił między stopami. Każdy dzień jest kłamstwem, powiedział. Ale ty umierasz. To nie kłamstwo.

Ponieśli plażą nowe zapasy zawinięte w plandeki i koce, żeby zapakować wszystko do wózka. Chłopiec wziął za dużo i kiedy przystanęli, żeby odpocząć, mężczyzna odebrał mu część ładunku. W trakcie burzy jacht przesunął się nieznacznie. Mężczyzna patrzył. Chłopiec go obserwował. Chcesz tam wrócić?, spytał.

Chyba tak. Ostatni raz.

Ja się boję.

Wszystko w porządku. Po prostu trzymaj straż.

I tak mamy już więcej, niż damy radę wziąć.

Wiem. Po prostu chcę tam jeszcze zajrzeć.

Dobrze.

Przeszedł ostatni raz przez cały jacht od dziobu po rufę. Stój. Pomyśl. Usiadł na podłodze w mesie, opierając nogi w kaloszach o podest stołu. Ściemniało się. Próbował sobie przypomnieć, co wie o statkach. Wstał i znów wyszedł na pokład. Chłopiec siedział przy ognisku. Zszedł do kokpitu i usiadł na ławce, plecami oparty o przegrodę, ze stopami na pokładzie niemal na wysokości oczu. Miał na sobie tylko sweter, a na nim sztormiak, ale ubranie nie trzymało ciepła, więc dygotał bez przerwy. Zamierzał właśnie wstać, gdy uświadomił sobie, że patrzy na mocowania w przegrodzie naprzeciwko. Były cztery. Stal nierdzewna. Dawniej na ławkach leżały poduszki, po których zostały tasiemki wiszące w rogach. Pośrodku przegrody, tuż nad siedzeniem, wystawał nylonowy pasek z zaszytym w pętelkę końcem. Spojrzał znowu na mocowania. Były to zatrzaski obrotowe z motylkami na palec. Wstał, uklęknął przy ławce i przekręcił wszystkie w lewo do oporu. Były sprężynowe, a gdy puściły, chwycił za pasek na dole i pociągnął — wtedy deska zsunęła się i poluźniła. Wewnątrz, pod pokładem, była przestrzeń, w której znajdowały się złożone żagle i coś, co wyglądało na dwuosobową gumową tratwę, zrolowaną, związaną ściąganymi gumkami. Para małych plastikowych wioseł. Pudełko flar. A z tyłu skrzynka narzędziowa z kompozytu, szpara w wieczku zalepiona czarną taśmą izolacyjną. Wyciągnął skrzynkę, odnalazł koniec taśmy, odkleił ją, odpiął chromowane zatrzaski i otworzył. W środku znajdowała się żółta plastikowa latarka, lampa stroboskopowa zasilana baterią i apteczka. Żółta plastikowa radiopława awaryjna EPIRB. I czarne plastikowe etui wielkości książki. Wyjął etui, odpiął zatrzaski i otworzył pokrywkę. Wewnątrz leżał stary trzydziestosiedmiomilimetrowy pistolet sygnałowy z brązu. Wyjął go obiema rękami z etui, obrócił i przyjrzał się. Nacisnął dźwignię i złamał go. Komora była pusta, ale w plastikowym pudełku znajdowało się osiem flar, krótkich, grubawych, wyglądających na nie używane. Włożył pistolet z powrotem do etui, zamknął pokrywę i zapiął zatrzaski.

Wygramolił się z wody na brzeg, trzęsąc się i kaszląc, owinął kocem i usiadł na ciepłym piasku przed ogniskiem obok skrzynek. Chłopiec ukucnął i próbował go objąć, co wreszcie wywołało uśmiech na jego twarzy. Co znalazłeś, tatusiu?

Apteczkę. No i pistolet sygnałowy.

A co to takiego?

Za pomocą takiego pistoletu daje się sygnał. Pokażę ci.

Czy po to tam poszedłeś?

Tak.

Skąd wiedziałeś, że on tam będzie?

Nie wiedziałem, ale liczyłem na to. Właściwie to miałem szczęście.

Otworzył etui i odwrócił je do chłopca.

To broń.

Pistolet sygnałowy. Strzela się z niego ładunkiem, który daje duże światło.

Mogę zobaczyć?

No pewnie.

Chłopiec wyjął pistolet z etui i ścisnął go w dłoni. Czy można tym do kogoś strzelić?, spytał.

Można.

I zabić?

Nie. Ale ktoś mógłby się od tego zapalić.

Dlatego go wziąłeś?

Tak.

Bo przecież nie ma nikogo, komu moglibyśmy dać sygnał, prawda?

Nie.

Chciałbym to zobaczyć.

To znaczy, jak strzela?
Tak.
Możesz strzelić, jeśli chcesz.
Naprawdę?
Jasne.
W ciemności?
Tak, w ciemności.
To byłoby jak świętowanie.
Owszem, jak świętowanie.
Możemy strzelić dzisiaj?
Czemu nie?
Jest naładowany?
Nie. Ale możemy naładować.
Chłopiec stał, ściskając broń. Wycelował w morze. Rany, powiedział.

Ubrał się i ruszyli plażą, niosąc ostatnie łupy. Jak myślisz, tatusiu, gdzie są ci ludzie?
Ci, którzy byli na statku?
Tak.
Nie wiem.
Myślisz, że zginęli?
Nie wiem.
Nikła szansa, że żyją.
Mężczyzna się uśmiechnął. Nikła szansa?
No tak. A nie?
No tak. Prawdopodobnie tak.
Ja myślę, że zginęli.

Może i tak.

Tak myślę.

Może gdzieś żyją, odparł mężczyzna. To możliwe. Chłopiec nie odpowiedział. Szli dalej. Stopy mieli owinięte płótnem żeglarskim i okutane w papucie wycięte z plandeki, więc zostawiali osobliwe ślady w trakcie kursowania w tę i z powrotem. Mężczyzna rozmyślał o chłopcu i jego zmartwieniach i po chwili rzekł: Prawdopodobnie masz rację. Myślę, że nie żyją.

Bo gdyby żyli, to wyszłoby na to, że zabraliśmy ich rzeczy.

A my nie zabieramy ich rzeczy.

Wiem.

To dobrze.

Jak myślisz, ilu ludzi żyje?

Na świecie?

Na świecie. No tak.

Nie wiem. Zatrzymajmy się i odpocznijmy.

Dobrze.

Zamęczasz mnie.

No już dobrze.

Usiedli wśród tobołów.

Tatusiu, jak długo możemy tu zostać?

Już o to pytałeś.

Wiem.

Zobaczymy.

Czyli nie za długo.

Chyba nie.

Chłopiec dźgał palcami dziury w piasku, aż utworzył z nich koło. Mężczyzna go obserwował. Nie wiem, ilu jest ludzi, rzekł. Ale chyba niedużo.

No wiem. Naciągnął koc na ramiona i popatrzył na szarą, jałową plażę.

O co chodzi?, spytał mężczyzna.

O nic.

Nie, nie, powiedz.

No bo może gdzieś tam są żywi ludzie.

Gdzieś gdzie?

Nie wiem. Gdziekolwiek.

Chodzi ci o to, że poza Ziemią?

Tak.

Wątpię. Nie można żyć nigdzie indziej.

Nawet gdyby można było się tam dostać?

Nawet.

Chłopiec uciekł wzrokiem w bok.

Co jest?, spytał mężczyzna.

Pokręcił głową. Bo ja nie wiem, co my robimy, rzekł.

Mężczyzna otworzył usta, żeby odpowiedzieć, ale umilkł. Po chwili rzekł: Są ludzie. Są ludzie i my ich znajdziemy. Zobaczysz.

Przygotował obiad, a chłopiec bawił się w piasku. Miał łopatkę zrobioną ze spłaszczonej puszki, za pomocą której zbudował małe miasteczko. Wyrył siatkę ulic. Mężczyzna podszedł, przykucnął i popatrzył. Chłopiec podniósł wzrok. Ocean to zmyje, prawda?, spytał.

Tak.

To nic.

Potrafisz napisać alfabet?

Potrafię.

Przestaliśmy cię uczyć.

Wiem.

Potrafisz coś napisać na piasku?

Może moglibyśmy napisać list do dobrych ludzi? Jak przyjdą, to będą wiedzieć, gdzie jesteśmy. Moglibyśmy napisać tam, gdzie morze tego nie zmyje.

A jeśli zobaczą to źli ludzie?

No tak.

Niepotrzebnie to powiedziałem. Właściwie moglibyśmy napisać im list.

Chłopiec pokręcił głową. Nie, nie, w porządku, rzekł.

Załadował pistolet sygnałowy i gdy tylko się ściemniło, odeszli plażą od ogniska, a mężczyzna spytał chłopca, czy chce wystrzelić.

Ty strzel, tatusiu. Ty umiesz.

Dobrze.

Odbezpieczył pistolet, wycelował wysoko nad zatokę i nacisnął spust. Z długim syknięciem flara pognała łukiem w mrok, rozbłysła gdzieś nad wodą mętnym światłem i zawisła. Gorące wąsy magnezu spłynęły powoli w ciemności, a blade przybrzeżne fale drgnęły w blasku i z wolna znikły. Mężczyzna spojrzał na skierowaną ku górze twarz chłopca.

Z bardzo daleka nie mogli tego zobaczyć, prawda, tatusiu?

Kto?

Ktokolwiek.

Nie. Z daleka nie.

Gdybyśmy chcieli pokazać, gdzie jesteśmy.

Tym dobrym ludziom?

Tak. Albo komukolwiek, kogo chcielibyśmy powiadomić, gdzie się znajdujemy.

Na przykład komu?

Nie wiem.

Może Bogu?

No tak. Może komuś takiemu.

Rano, gdy chłopiec wciąż spał, mężczyzna rozpalił ognisko i poszedł na plażę. Nie było go tylko chwilę, ale czuł dziwny niepokój, i gdy wrócił, chłopiec stał na piasku, okutany w koce — czekał na niego. Przyspieszył kroku. Gdy się zbliżył, chłopiec usiadł.

O co chodzi?, spytał. O co chodzi?

Nie czuję się dobrze, tatusiu.

Przyłożył dłoń do jego czoła. Rozpalone. Wziął go na ręce i zaniósł do ogniska. Wszystko dobrze, powiedział. Nic ci nie będzie.

Chyba zaraz zwrócę.

Wszystko dobrze.

Posadził go na piasku i trzymał za czoło, gdy on zgiął się i zwymiotował. Wytarł mu dłonią usta. Przepraszam, tatusiu. Ćśś. Nic złego nie zrobiłeś.

Zaniósł go do obozowiska i okrył kocami. Próbował nakłonić do wypicia odrobiny wody. Dołożył drewna do ogniska i ukląkł, z dłonią na czole chłopca. Nic ci nie będzie, powiedział. Chłopiec był przerażony.

Nie odchodź, tatusiu.

Przecież nie odejdę.

Nawet na małą chwilę.

Nie. Jestem tutaj.

To dobrze. To dobrze, tatusiu.

Trzymał go na rękach przez całą noc, zapadając w sen i budząc się z uczuciem paniki, dotykając jego serca. Rankiem chłopiec nie czuł się lepiej. Mężczyzna usiłował namówić go do wypicia odrobiny soku, ale on nie chciał. Przycisnął dłoń do jego czoła, próbując wyczarować chłód, który nie nadchodził. Gdy chłopiec zasnął, wytarł mu dłonią wyblakłe usta. Zrobię to, co obiecałem, szepnął. Bez względu na wszystko. Samego nie wyślę cię w mrok.

Przetrząsnął apteczkę z jachtu, ale nie było w niej niczego przydatnego. Aspiryna. Bandaże i proszek dezynfekujący. Jakieś antybiotyki, ale o krótkim okresie przydatności. Jednak niczego więcej nie miał, więc napoił chłopca i położył mu na języku jedną drażetkę. Chłopiec był mokry od potu. Wcześniej mężczyzna zdjął z niego koce, a teraz rozpiął mu kurtkę, ściągnął ją, ściągnął ubranie i przeniósł go dalej od ognia. Chłopiec popatrzył na niego. Tak mi zimno, powiedział.

Wiem. Ale masz wysoką gorączkę, więc musimy cię trochę ochłodzić.

Mogę dostać jeszcze jeden koc?

Tak, oczywiście.

Nie odejdziesz?

Nie. Nie odejdę.

Wziął jego brudne ubranie i uprał w morzu, mocząc i wyżymając, stojąc rozdygotany w słonej wodzie, nagi od pasa w dół. Rozwiesił odzież przy ogniu na kijkach wbitych na ukos w piasek, dołożył drewna, podszedł i usiadł znów obok chłopca i pogłaskał go po zmierzwionych włosach. Wieczorem otworzył puszkę zupy, postawił ją na żarze, potem ją zjadł i patrzył, jak nadchodzi mrok. Gdy się obudził, leżał zmarznięty na piasku, a ogień zgasł niemal do popiołu — była czarna noc. Usiadł gwałtownie i wyciągnął rękę do chłopca. Tak, szepnął. Tak.

Rozpalił na nowo ogień, wziął kawałek materiału, zmoczył go i położył chłopcu na czole. Nadchodził zimowy świt, a gdy rozjaśniło się na tyle, że było cokolwiek widać, poszedł do lasu za wydmami, a potem wrócił, ciągnąc włóki suchych konarów i gałęzi, po czym zaczął wszystko łamać i układać w pobliżu ogniska. Zgniótł aspiryny w kubku, rozpuścił je w wodzie, dodał trochę cukru, usiadł, podniósł chłopcu głowę i przytrzymał mu kubek podczas picia.

Szedł zgarbiony plażą, kaszląc. Przystawał, patrząc na ciemne grzywacze. Chwiał się ze zmęczenia. Wrócił, usiadł obok chłopca, złożył materiał, wytarł mu twarz, następnie rozwinął mu go na czole. Musisz zostać blisko niego, powiedział. Musisz być szybki. Żeby móc z nim być. Obejmij go mocno. Ostatni dzień Ziemi.

Chłopiec spał przez cały dzień. Mężczyzna budził go raz po raz, żeby pił wodę z cukrem, a suche gardło zatykało się i dławiło. Musisz pić, powiedział. Dobrze, wycharczał chłopiec. Mężczyzna wepchnął kubek w piasek obok, zwinięty w poduszkę koc wsunął mu pod spoconą głowę i przykrył go. Zimno ci?, spytał. Ale chłopiec już zasnął.

Próbował czuwać przez całą noc, lecz nie dał rady. Budził się bez końca, siadał, klepał się po twarzy albo wstawał, żeby dołożyć drewna do ognia. Obejmował chłopca i nachylał się, by usłyszeć strudzony oddech. Jego dłoń na cienkich, drabinowych żebrach. Poszedł plażą na skraj światła, stanął z pięściami zaciśniętymi na głowie, potem padł na kolana, szlochając z wściekłości.

W nocy na krótko rozpadał się deszcz, bębniąc lekko w plandekę. Mężczyzna naciągnął ją na nich obu, obrócił się i leżał, obejmując dziecko, patrząc przez folię na niebieskie płomienie. Zapadł w sen bez śnienia.

Gdy znów się obudził, nie wiedział, gdzie jest. Ogień zgasł, deszcz przestał padać. Odgarnął plandekę i dźwignął się na łokcie. Szary dzień. Chłopiec patrzył na niego. Tatusiu, odezwał się.

Tak? Jestem tutaj.

Mogę się napić wody?

Tak. Oczywiście, że możesz. Jak się czujesz?

Trochę dziwnie.

Jesteś głodny?

Nie, tylko pić mi się chce.

Przyniosę ci wody.

Ściągnął koce, wstał, ruszył obok zgasłego ogniska, wziął kubek chłopca, napełnił go wodą z plastikowego baniaka, wrócił, ukląkł i podsunął kubek. Wszystko będzie dobrze, powiedział. Chłopiec się napił. Skinął głową i spojrzał na ojca. Potem dopił wodę. Jeszcze, powiedział.

Rozpalił ognisko, wywiesił mokre ubranie chłopca i przyniósł mu puszkę soku jabłkowego. Pamiętasz coś?, spytał.

O czym?

O tym, jak byłeś chory.

Pamiętam, że strzelaliśmy z pistoletu.

A pamiętasz, jak zabraliśmy rzeczy z jachtu?

Siedział, popijając sok. Podniósł oczy. Nie jestem niedorozwinięty, rzekł.

Wiem.

Miałem dziwne sny.

O czym?

Nie chcę ci mówić.

Trudno. Chciałbym, żebyś umył zęby.

Prawdziwą pastą?

Tak.

Dobrze.

Sprawdził wszystkie puszki z jedzeniem, ale nie znalazł nic podejrzanego. Parę, które były bardzo pordzewiałe, wyrzucił. Tego wieczoru usiedli przy ognisku, chłopiec zjadł gorącą zupę, a mężczyzna obracał jego parujące ubranie na kijach, obserwując go, aż się speszył. Przestań się na mnie patrzeć, tatusiu.

Dobrze.
Ale nie przestał.

Dwa dni później poszli plażą aż do cypla i z powrotem, człapiąc w foliowych łapciach. Zjedli obfite posiłki i za pomocą lin i palików mężczyzna rozpiął płótno żeglarskie, żeby ich osłaniało przed wiatrem. Okroili zapasy do ładunku, który mieścił się w wózku, i postanowili, że za dwa dni ruszą dalej. Ale gdy pod wieczór wracali do obozowiska, mężczyzna zobaczył ślady na piasku. Stanął i patrzył na plażę. O Chryste, powiedział. O Chryste.
Co się stało, tatusiu?
Wyjął rewolwer zza paska. Chodź, rzekł. Szybko.

Plandeka znikła. Koce. Baniak z wodą i zapasy jedzenia. Wiatr zwiał płótno między wydmy. Przepadły buty. Przez nieckę porośniętą uniolą pobiegł do miejsca, gdzie zostawili wózek, ale go nie było. Wszystko. Ty głupi ośle, powiedział. Ty głupi ośle.
Chłopiec stał obok, wybałuszając oczy. Tatusiu, co się stało?
Zabrali wszystko. Chodź.
Chłopiec podniósł wzrok. Był bliski łez.
Trzymaj się mnie, powiedział mężczyzna. Cały czas trzymaj się mnie.

Widział ślady wózka pchanego po grząskim piasku. I odciski stóp. Ilu ich? Za krzakami na twardszej ziemi zgubił trop, ale zaraz potem znów go wypatrzył. Gdy dotarli do szosy, zatrzymał chłopca dłonią. Droga była wystawiona na wiatr od morza, więc zwiało z niej prawie cały popiół oprócz kilku płachci tu i tam. Nie wchodź na szosę, powiedział. I przestań płakać. Musimy się pozbyć całego piasku z nóg. Siadaj tutaj.

Rozsupłał owijacze, wytrząsnął je i zawiązał z powrotem. Musisz mi pomóc, powiedział. Szukamy piasku. Piasku na drodze. Choćby odrobiny. Wtedy będziemy wiedzieć, w którą stronę poszli. Dobrze?

Dobrze.

Ruszyli szosą w dwóch przeciwnych kierunkach. Nie zabrnął daleko, gdy chłopiec go zawołał. Jest tu, tatusiu. Poszli tędy. Zbliżył się do chłopca, który przykucnął na asfalcie. O tutaj, powiedział. Pół łyżeczki piasku, który wysypał się ze spodu wózka sklepowego. Mężczyzna podniósł się i popatrzył na drogę. Dobra robota, powiedział. Idziemy.

Ruszyli truchtem. Myślał, że wytrzyma takie tempo, ale nie dał rady. Zatrzymał się, nachylił i zaczął kaszleć. Spojrzał na chłopca, zipiąc. Będziemy musieli iść wolniej, powiedział. Jeśli nas usłyszą, ukryją się gdzieś na poboczu. Chodź.

Ilu ich jest, tatusiu?

Nie wiem. Może tylko jeden.

Zabijemy ich?

Nie wiem.

Szli. Było już późno, minęła kolejna godzina i zaczął nadchodzić długi zmierzch, gdy wreszcie dogonili złodzieja, pochylonego nad załadowanym wózkiem, ciągnącego drogą przed nimi. Gdy się obejrzał i ich zobaczył, chciał uciekać z łupem, ale okazało się to beznadziejne, więc zatrzymał się i z rzeźnickim nożem w ręku stanął za wózkiem. Dostrzegł rewolwer i cofnął się o krok, ale nadal ściskał nóż w dłoni.

Odsuń się od wózka, powiedział mężczyzna.

Tamten patrzył na nich. Na chłopca. Był wyrzutkiem z komuny; odcięto mu palce prawej dłoni. Próbował ją schować za plecami. Mięsista chochla. W wózku wysoka sterta. Zabrał wszystko.

Odsuń się od wózka i rzuć nóż.

Rozejrzał się dokoła. Jak gdyby liczył na czyjąś pomoc. Wychudły, posępny, brodaty, brudny. Strzępy starego foliowego płaszcza sklejone taśmą. Rewolwer miał samonapinacz, ale mężczyzna i tak odciągnął kurek. Dwa donośne kliknięcia. Poza tym tylko szmer oddechów w ciszy solnego wrzosowiska. Czuli odór śmierdzących łachmanów. Jeżeli nie odłożysz noża i nie odsuniesz się od wózka, powiedział mężczyzna, rozwalę ci łeb. Złodziej spojrzał na dziecko — to, co zobaczył, bardzo go otrzeźwiło. Położył nóż na kocach, cofnął się i stanął.

Jeszcze. Dalej.

Znów się cofnął.

Tatusiu, odezwał się chłopiec.

Cicho bądź.

Nie odrywał oczu od złodzieja. Niech cię szlag, powiedział.

Tatusiu, proszę cię, nie zabijaj tego pana.

Złodziej błysnął dziko oczami. Chłopiec płakał.

Daj spokój, człowieku. Zrobiłem, coś kazał. Posłuchaj dzieciaka.

Rozbieraj się.

Co?

Zdejmuj ubranie. Do ostatniego łacha.

Daj spokój. Nie rób mi tego.

Bo zabiję cię tak, jak stoisz.

Przestań, człowieku.

Drugi raz nie będę powtarzał.

Dobra, dobra. Spokojnie.

Rozebrał się powoli i na drodze usypał stertę ze swoich wstrętnych łachmanów.

Buty.

Daj spokój.

Buty.

Złodziej spojrzał na chłopca. Chłopiec odwrócił twarz i zatkał uszy rękoma.

Dobrze, powiedział. Dobrze. Usiadł nagi na szosie i zaczął rozsupływać gnijące strzępy wyprawionej skóry przywiązane do stóp. Potem wstał, trzymając je w jednym ręku.

Włóż do wózka.

Zbliżył się, położył buty na kocach i się cofnął. Stał na środku drogi, odarty, nagi, brudny, wygłodniały. Zakrywając się ręką. Zaczął dygotać.

Dołóż ubranie.

Schylił się, zebrał łachmany w ręce i rzucił je na buty. Stanął, obejmując się za ramiona. Nie rób mi tego, człowieku.

Ty nam jednak zrobiłeś.

Błagam cię.

Tatusiu, odezwał się chłopiec.

Proszę cię. Posłuchaj dzieciaka.

Chciałeś, żebyśmy zginęli.

Człowieku, ja umieram z głodu. Ty zrobiłbyś to samo.

Zabrałeś wszystko.

Proszę cię. Ja zginę.

Zostawię cię tak, jak ty nas zostawiłeś.

Proszę cię. Błagam.

Przyciągnął wózek, obrócił go, położył rewolwer na wierzchu i spojrzał na chłopca. Idziemy, powiedział. Ruszyli na południe, chłopiec zapłakany, oglądając się na ciemnoszarą nagą postać na drodze, trzęsącą się i obejmującą rękoma. Och, tatusiu, łkał.

Przestań.

Nie mogę.

Jak myślisz, co by się z nami stało, gdybyśmy go nie złapali? Przestańże.

Próbuję.

*

Gdy doszli do zakrętu drogi, tamten nadal stał w miejscu. Nie miał dokąd pójść. Chłopiec bez przerwy oglądał się do tyłu, a kiedy złodziej zniknął im z oczu, usiadł na środku drogi i szlochał. Mężczyzna zatrzymał wózek i stanął, patrząc na niego. Wygrzebał ich buty z wózka, usiadł i zaczął zdejmować chłopcu owijacze. Masz przestać płakać, powiedział.

Nie mogę.

Włożył buty sobie i jemu, po czym wstał i ruszył z powrotem drogą, ale złodziej przepadł. Wrócił do chłopca. Poszedł sobie, rzekł. Chodź.

Nie poszedł, odparł chłopiec. Podniósł głowę. Buzię miał pomazaną sadzą. Nie poszedł.

Co chcesz, żebyśmy zrobili?

Pomogli mu. Żebyśmy mu pomogli, tatusiu.

Mężczyzna obejrzał się na drogę.

Tatusiu, on był tylko głodny. On umrze.

Umrze tak czy siak.

On tak się bał, tatusiu.

Mężczyzna przysiadł i spojrzał na niego. To ja się boję, rzekł. Rozumiesz? Ja się boję.

Chłopiec milczał. Łkał ze spuszczoną głową.

To nie ty musisz się o wszystko martwić.

Coś odpowiedział, ale mężczyzna nie zrozumiał. Że co?

Podniósł mokrą, umorusaną buzię. A właśnie że ja, odparł. Właśnie że ja.

Dotoczyli rozchybotany wózek na miejsce, stanęli w zimnie i gęstniejącym mroku i zawołali, ale nikt się nie pojawił.

Boi się odpowiedzieć, tatusiu.

Czy to było tutaj?

Nie wiem. Chyba tak.

Ruszyli dalej drogą, wołając w ciemnej pustce, ich głosy cichnące nad czerniejącym wybrzeżem. Stanęli i przyłożywszy dłonie do ust, pokrzykiwali bezmyślnie po pustkowiu. Wreszcie położył buty i ubranie złodzieja na drodze. Obciążył stertę kamieniem. Musimy iść, powiedział. Musimy iść.

Prowizoryczny obóz, bez rozpalania ognia. Wybrał puszki na kolację i ogrzał je nad palnikiem gazowym, a potem zjedli, chłopiec milcząc. Mężczyzna usiłował dojrzeć jego twarz w niebieskim świetle z palnika. Nie chciałem go zabijać, powiedział. Chłopiec się nie odezwał. Otulili się kocami i położyli w ciemności. Wydawało mu się, że słyszy morze, lecz to chyba był tylko wiatr. Po oddechu zorientował się, że chłopiec nie śpi. Ale go zabiliśmy, powiedział chłopiec po chwili.

Rano zjedli i ruszyli w drogę. Wózek był tak obładowany, że trudno go było pchać i jedno kółko zaczęło szwankować. Droga biegła zakolem wzdłuż brzegu, a nad asfaltem zwieszały się kępy wyschniętej trawy. W oddali przesuwało się morze koloru ołowiu. Cisza. W nocy obudził się w matowej węglowej poświacie księżyca wędrującego za pomroką, niemal uwidaczniającego kształty drzew, i odwrócił się, kaszląc. Woń deszczu. Chłopiec nie spał. Zacznij się do mnie odzywać, powiedział mężczyzna.

Próbuję.

Przepraszam, że cię obudziłem.

Nie szkodzi.

Wstał i poszedł w kierunku drogi. Czarny jej zarys biegnący z mroku do mroku. A potem odległy niski grzmot. Nie piorun. Poczuł to pod stopami. Dźwięk bez pokrewieństwa, a więc i bez opisu. Coś nieuchwytnego ruszało się w ciemności. Ziemia kuliła się z zimna. Nie powtórzyło się. Jaka to pora roku? Ile lat ma dziecko? Wszedł na drogę i stanął. Cisza. *Sal nitri* wytrząsająca się z ziemi. Ubłocone kształty zalanych miast spalonych do linii wodnej. Na skrzyżowaniu dróg teren zastawiony dolmenami, pośród których próchniały mówiące kości wyroczni. Żadnych dźwięków tylko wiatr. Co powiesz? Żywy człowiek wygłosił te słowa? Zaostrzył gęsie pióro nożykiem, żeby napisać to tarniną albo sadzą lampową? W jakiejś policzalnej, uchwytnej chwili? Nadchodzi, żeby skraść mi oczy. Zapieczętować usta ziemią.

Znów przejrzał puszki, biorąc każdą po kolei do ręki i ściskając jak człowiek sprawdzający dojrzałość owoców na straganie. Odstawił dwie, które uznał za podejrzane, resztę zabrał, spakował wózek i znów ruszyli drogą. Trzeciego dnia dotarli do małego portowego miasteczka, ukryli wózek w garażu za domem, zasypali go starymi pudłami, a potem usiedli w domu i obserwowali, czy ktoś nadchodzi. Nikt się nie pojawił. Mężczyzna przejrzał szafki, lecz niczego nie było. Potrzebował witaminy D dla chłopca, żeby zapobiec krzywicy. Stanął przy zlewie i popatrzył na podjazd. Światło barwy popłuczyn, gęstniejące w brudnych szybach okna. Chłopiec półleżał na stole, z głową położoną na rękach.

Zawędrowali przez miasto do doków. Nie zobaczyli nikogo. Rewolwer niósł w kieszeni kurtki, a w ręku ściskał pistolet sygnałowy. Weszli na przystań, nieheblowane deski ciemne od smoły, przybite bretnalami do belek pod spodem. Drewniane pachołki. Słaba woń soli i kreozotu bijąca od zatoki. Na przeciwległym brzegu rząd magazynów i sylwetka tankowca czerwonego od rdzy. Wysoki żuraw portowy na tle posępnego nieba. Tu nikogo nie ma, powiedział mężczyzna. Chłopiec milczał.

Przetoczyli wózek po zaułkach i przez torowisko, a po przeciwnej stronie miasteczka znów wyszli na główną drogę. Gdy mijali ostatnie smutne drewniane budynki, coś świsnęło mu obok głowy, odbiło się z klekotem od jezdni i złamało na ścianie bloku mieszkalnego naprzeciwko. Chwycił chłopca, przygniótł go sobą i złapał za wózek, ale on przechylił się i wywrócił, a ze środka na ulicę wysypała się plandeka i koce. W górnym oknie zobaczył mężczyznę napinającego łuk, celującego w nich, więc przycisnął chłopcu głowę do ziemi i próbował osłonić go swoim ciałem. Usłyszał matowy brzęk cięciwy i poczuł ostry, piekący ból w nodze. Ty skurwielu, powiedział. Ty skurwielu. Zgarnął koce na bok, skoczył, chwycił pistolet sygnałowy, podniósł się, odbezpieczył go i oparł ramię na boku wózka. Chłopiec przywarł do niego. Wypalił, gdy tamten znów pojawił się w otworze okiennym, by napiąć cięciwę. Flara poszybowała niskim łukiem w stronę okna — nagle usłyszeli wrzask. Złapał chłopca, przygniótł go do ziemi i narzucił koce na niego. Nie ruszaj się, powiedział. Nie ruszaj się i nie patrz. Wysypał kolejne koce z wózka, szukając pudełka z flarami. Wreszcie wysunęło się, więc chwycił je, otworzył, wyjął jedną flarę, załadował pistolet, zatrzasnął go, a pozostałe ładunki wcisnął do kieszeni. Zostań tutaj, szepnął. Poklepał chłopca, leżącego pod kocami, podniósł się i pokuśtykał biegiem przez ulicę.

Wszedł przez tylne drzwi, trzymając pistolet przy biodrze. Dom ogołocony do stelaży w ścianach. Wszedł do dużego pokoju i stanął na podeście przy schodach. Nasłuchiwał, czy ktoś porusza się na piętrze. Wyjrzał przez okno w stronę, gdzie leżał wózek, a potem ruszył na górę.

W kącie siedziała kobieta trzymająca mężczyznę. Okryła go własnym płaszczem. Gdy go zobaczyła, zaczęła bluzgać. Flara spłonęła na podłodze, pozostawiając smugę białego popiołu, a w pokoju czuć było słabą woń spalonego drewna. Wszedł do środka i wyjrzał przez okno. Kobieta śledziła go wzrokiem. Cienkie, wiotkie włosy.

Kto jeszcze tu jest?

Nie odpowiedziała. Wyminął ją i ruszył do pozostałych pokojów. Rana krwawiła okropnie. Czuł, że nogawka spodni lepi się do skóry. Wrócił do pierwszego pomieszczenia. Gdzie łuk?, spytał.

Nie mam go.

Gdzie jest?

Nie wiem.

Zostawili was tutaj, co?

Sama się zostawiłam.

Odwrócił się, pokuśtykał schodami na dół, otworzył frontowe drzwi i wyszedł na ulicę tyłem, wpatrując się w dom. Dowlókł się do wózka, postawił go i wrzucił do niego rzeczy. Trzymaj się blisko mnie, szepnął. Trzymaj się blisko.

Na noc zatrzymali się w sklepie na skraju miasta. Wtoczył wózek na zaplecze, zamknął drzwi i przystawił go do nich na skos. Wygrzebał palnik i butlę z gazem, odkręcił kurek, postawił palnik na podłodze, następnie rozpiął pasek i zdjął zakrwawione spodnie. Chłopiec patrzył. Strzała rozpłatała nogę tuż nad kolanem na mniej więcej siedem centymetrów. Krew wciąż płynęła, a cała noga zbielała — widział, że rana jest głęboka. Domowej roboty szeroki grot, wykuty z paska metalu, może ze starej łyżki. Spróbuj znaleźć apteczkę, powiedział.

Chłopiec się nie poruszył.

Znajdź apteczkę, do ciężkiej cholery. Nie siedź tak.

Zerwał się, podszedł do drzwi i zaczął grzebać pod plandeką i kocami powrzucanymi do wózka. Wrócił z apteczką, a mężczyzna wziął ją bez słowa, położył na betonowej podłodze przed sobą, poluzował zatrzaski i otworzył pokrywkę. Wyciągnął rękę i odkręcił bardziej kurek palnika, żeby mieć więcej światła. Przynieś baniak z wodą, powiedział. Chłopiec przyniósł baniak, a mężczyzna zdjął zakrętkę, polał ranę wodą, następnie przytrzymał brzegi palcami i wytarł krew. Oczyścił delikatnie ranę proszkiem dezynfekującym, wreszcie zębami otworzył foliową kopertę, wyjął małą zakrzywioną igłę chirurgiczną i zwój jedwabnej nici, usiadł, przysunął nić do światła i nawlekł igłę. Z apteczki wydobył zacisk, chwycił igłę w szczęki, zwarł je i zaczął zszywać ranę. Robił to szybko, nie starając się zbytnio. Chłopiec przykucnął na podłodze. Mężczyzna spojrzał na niego i znów pochylił się nad igłą. Nie musisz patrzeć, powiedział.

W porządku?

W porządku.

Boli?

Tak, boli.

Zawiązał supeł na końcu nici i zacisnął go, następnie odciął nić nożyczkami z apteczki i spojrzał na chłopca. Chłopiec patrzył na jego dzieło.

Przepraszam, że na ciebie wrzasnąłem.

Podniósł wzrok.

Nic nie szkodzi, tatusiu.

Zacznijmy od nowa.

Dobrze.

Rankiem padało, a silny wiatr grzechotał szybami na tyłach budynku. Mężczyzna stał i patrzył na zewnątrz. Stalowe nabrzeże do połowy zwalone, zanurzone w wodach zatoki. Sterówki zatopionych kutrów rybackich wystające nad szarymi falami. Nic się nie poruszało. Wszystko, co mogło się poruszać, zostało dawno zwiane. Noga go rwała, więc ściągnął opatrunek, zdezynfekował ranę i obejrzał ją. Tkanka spuchnięta i odbarwiona w splotach czarnych szwów. Założył opatrunek i wciągnął sztywne od krwi spodnie.

Spędzili tam dzień, siedząc pośród pudeł i skrzyń. Musisz się do mnie odzywać, powiedział.

Odzywam się.

Na pewno?

No przecież teraz się odzywam.

Chcesz, żebym ci opowiedział pewną historię?

Nie.

Dlaczego nie?

Chłopiec spojrzał na niego, a potem odwrócił wzrok.

Dlaczego nie?

Bo te historie nie są prawdziwe.

Nie muszą być prawdziwe. To są historie.

Tak, ale w tych historiach my zawsze pomagamy ludziom, a przecież nie pomagamy.

To może ty mi coś opowiesz?

Nie chcę.

No trudno.

Nie mam nic do opowiedzenia.

Mógłbyś mi opowiedzieć o sobie.

Ty przecież wszystko o mnie wiesz. Byłeś zawsze ze mną.

Nosisz w sobie różne historie, których nie znam.
Takie jak sny?
Sny. Albo coś, o czym myślisz.
No tak, ale historie mają być szczęśliwe.
Nie muszą takie być.
Ty zawsze opowiadasz szczęśliwe historie.
A ty nie znasz szczęśliwych?
Moje bardziej przypominają prawdziwe życie.
A moje nie?
Twoje nie. Nie.
Mężczyzna przyglądał się chłopcu. Prawdziwe życie jest dość okropne?
A jak ty myślisz?
Hm, ja myślę, że ciągle żyjemy. Mnóstwo złych rzeczy się stało, ale my żyjemy.
No tak.
Nie uważasz, że to dużo?
Może być.

Podciągnęli stół do okien, rozpostarli koce, a chłopiec położył się na brzuchu i obserwował zatokę. Mężczyzna siedział z wyprostowaną nogą. Na kocach między nimi leżał rewolwer, pistolet i pudełko flar. Po chwili mężczyzna powiedział: Ja uważam, że to całkiem dobra historia. Coś znaczy.
Nie trzeba, tatusiu. Chcę po prostu posiedzieć trochę w ciszy.
A sny? Czasem opowiadałeś mi swoje sny.

Nie chcę rozmawiać o niczym.

No dobrze.

Poza tym ja nie mam już dobrych snów. Zawsze są o czymś złym. Ty mówiłeś, że to nie szkodzi, bo dobre sny to zły znak.

Może. Nie wiem.

Jak budzisz się i kaszlesz, to odchodzisz na drogę albo gdzieś, ale ja i tak słyszę, że kaszlesz.

Przepraszam.

Raz słyszałem, jak płaczesz.

Wiem.

Jeśli ja nie powinienem płakać, ty też nie powinieneś.

Dobrze.

Czy z twoją nogą będzie lepiej?

Tak.

Czy tylko tak mówisz?

Nie.

Bo wygląda, że jest bardzo skaleczona.

Nie jest tak źle.

Ten człowiek próbował nas zabić, prawda?

Tak.

Zabiłeś go?

Nie.

Naprawdę?

Naprawdę.

Dobrze.

W porządku?

Tak.

Podobno nie chciałeś rozmawiać?

Nie chcę.

Dwa dni później ruszyli — mężczyzna kuśtykając za wózkiem, chłopiec trzymając się jego boku, póki nie wyszli z przedmieść. Szosa biegła płaskim szarym wybrzeżem, tkwiły na niej zaspy piasku nawianego przez wiatr. To utrudniało marsz, więc miejscami musieli oczyszczać drogę deską, którą wieźli na dolnej półce wózka. Zeszli na plażę, usiedli pod osłoną wydm i zaczęli patrzeć na mapę. Wzięli ze sobą palnik, podgrzali wodę, zaparzyli herbatę i siedzieli owinięci kocami w obronie przed wiatrem. W dole spróchniałe bale zabytkowego statku. Szare i wyszorowane przez piasek belki. Stare obracane ręcznie śruby. Dziobate żelazo w kolorze głębokiego fioletu, wytopione w jakimś piecu fryszerskim w Kadyksie albo Bristolu, wykute na czarnym kowadle, zdatne przetrwać w starciu z morzem trzysta lat. Nazajutrz minęli zabite deskami ruiny nadmorskiego kurortu i przez sosnowy las ruszyli drogą w głąb lądu — długa prosta szosa dryfująca w igliwiu, wiatr pośród ciemnych drzew.

W południe, kiedy było najlepsze światło, usiadł na drodze, przeciął szwy nożyczkami, włożył nożyczki do apteczki i wyjął klamrę. Następnie zabrał się do wyciągania czarnych nitek ze swojej skóry, naciskając opuszkiem kciuka, a chłopiec siedział na szosie i patrzył. Chwytając klamrą końce nitek, usunął jedną po drugiej. Małe szpileczki krwi. Gdy skończył, schował klamrę i plastrem przylepił gazę na ranę, a potem wstał, wciągnął spodnie i podał chłopcu apteczkę, by odłożył ją na miejsce.

Bolało, prawda?

Tak. Bolało.

Czy ty jesteś bardzo odważny?

Średnio.

A co zrobiłeś najodważniejszego w swoim życiu?

Splunął na drogę krwawą flegmą. Wstałem dziś rano, odparł.

Naprawdę?

Nie. Nie słuchaj mnie. Chodź, idziemy.

Wieczorem mroczne zarysy kolejnego nadmorskiego miasta, skupisko wysokich budynków, lekko przekrzywionych. Pomyślał, że żelazne zwory zmiękły od gorąca, a potem stężały, odkształcając sylwetki domów. Stopione okienne szkło wisiało zakrzepłe na ścianach jak lukier na cieście. Szli dalej. Teraz budził się czasem w nocy na czarnym i mroźnym pustkowiu z łagodnie barwnych światów ludzkiej miłości, ptasich trelów, słońca.

Oparł czoło na przedramionach skrzyżowanych na rączce wózka i kaszlał. Wypluł krwawe charchy. Coraz częściej musiał przystawać, żeby odpocząć. Chłopiec patrzył. W innym świecie dziecko zaczęłoby go już zwalniać z tego życia. Ale innego życia nie było. Wiedział, że chłopiec czuwa w nocy, że nasłuchuje, czy on oddycha.

Dni się wlokły, nieliczone, nieodznaczane w kalendarzu. Na autostradzie międzystanowej w oddali długie sznury zwęglonych i rdzewiejących samochodów. Odsłonięte obręcze kół osiadłe w sztywnym szarym mule stopionego ogumienia, w poczerniałych kręgach drutu. Spopielone trupy skurczone do wielkości dziecka, siedzące na gołych sprężynach foteli. Dziesięć tysięcy marzeń zamkniętych w grobowcach ich zwęglonych serc. Szli dalej. Krocząc po martwym świecie jak szczury po kołowrotku. Noce śmiertelnie ciche i jeszcze śmiertelniej czarne. Ale zimno. Prawie już nie rozmawiali. Kaszlał bez przerwy, a chłopiec patrzył, jak pluje krwią. Wlekli się dalej. Brudni, złachmanieni, pozbawieni nadziei. Przystawał i opierał się o wózek, chłopiec szedł dalej przez chwilę, potem zatrzymywał się i oglądał do tyłu, a on podnosił wtedy załzawione oczy i widział go stojącego na drodze, patrzącego z jakiejś niewyobrażalnej przyszłości, jarzącego się na tym pustkowiu jak tabernakulum.

Droga przecinała wyschnięte trzęsawisko, gdzie ze zmrożonego błota sterczały rury lodu jak formacje geologiczne w jaskini. Resztki dawnego ogniska na poboczu. Dalej długa betonowa grobla. Martwe bagno. Martwe drzewa w szarej wodzie niosącej przeżytki szarego mchu. Kupki miałkiego popiołu przy krawężniku. Stał oparty o chropowatą betonową balustradę. Być może w chwili zagłady świata będzie można wreszcie zobaczyć, jak został stworzony. Oceany, góry. Nieporadny kontrspektakl rzeczy przestających istnieć. Wszechogarniająca jałowość, nienasycona i przenikliwie doczesna. Cisza.

Dotarli do martwych sosen wywróconych przez wiatr, wielkich pokosów ruiny powycinanej w terenie. Szczątki budynków rozproszone po okolicy i zwoje drutu z przydrożnych słupów poskręcane jak motki wełny. Drogę zaśmiecał gruz, trudno było pchać wózek. Wreszcie usiedli na poboczu i patrzyli na to, co było przed nimi. Dachy domów, pnie drzew. Otwarte niebo w oddali, gdzie guzdrało się ponure morze.

Przejrzeli resztki rozsypane na drodze i w końcu znalazł płócienną torbę, którą mógł dźwigać na ramieniu, oraz małą walizkę dla chłopca. Spakowali koce, plandekę i pozostałe im konserwy i zostawiwszy wózek, ruszyli dalej z plecakami i torbami.

Przedzierając się przez ruiny. Posuwając się powoli. Musiał przystawać, żeby odpocząć. Usiadł na kanapie stojącej na poboczu, na poduszkach napuchniętych od wilgoci. Zgięty wpół, kaszlał. Ściągnął zakrwawioną maskę z twarzy, podniósł się, obmył ją w rowie, wyżął, a potem po prostu stał na drodze. Oddech białym pióropuszem pary. Zima ich dopadła. Odwrócił się i spojrzał na chłopca. Stał z walizką jak sierota czekający na autobus.

Po dwóch dniach doszli do szerokiej, rozlanej rzeki, gdzie w powolnie płynącej wodzie leżał zwalony most. Usiedli na pękniętym wsporniku i patrzyli na rzekę, cofającą się przeciw własnemu nurtowi i wirującą wokół żelaznych kratownic. Spojrzał na krainę za wodą.

Co zrobimy, tatusiu?, spytał.

No właśnie, co?, odparł.

Weszli na długi cypel z naniesionego przypływem błota, gdzie leżała mała zagrzebana łódka, stanęli i patrzyli na nią. Była kompletnym wrakiem. Wiatr niósł deszcz. Podreptali z bagażem plażą, wypatrując schronienia, ale żadnego nie znaleźli. Zsunął na stertę parę leżących na brzegu drewien o barwie kości, rozpalił ogień i usiedli na wydmach, pod plandeką, patrząc, jak z północy nadciąga zimna ulewa. Padało coraz mocniej, krople odciskały się w piasku. Ogień kopcił, a dym unosił się powoli w kłębach; chłopiec zwinął się pod plandeką, w którą bębnił deszcz, i zaraz zasnął. Mężczyzna naciągnął na siebie folię jak kaptur i patrzył na szare morze, zasnute w oddali przez ulewę, i na fale rozbijające się o brzeg, a potem cofające się po ciemnym, pokłutym piasku.

Nazajutrz ruszyli w głąb lądu. Rozległe niskie grzęzawisko, gdzie paprocie, hortensje i dzikie orchidee żyły nadal w formie własnych spopielonych wizerunków, których nie dopadł dotąd wiatr. Marsz był torturą. Drugiego dnia, gdy dotarli do innej drogi, położył torbę, usiadł, zgiął się z rękoma skrzyżowanymi na piersi i kaszlał tak długo, że dłużej już nie mógł. Minęły kolejne dwa dni, a pokonali może piętnaście kilometrów. Przeszli rzekę, nieco dalej dobrnęli do skrzyżowania. Po wybrzeżu ze wschodu na zachód przetoczyła się burza, która zrównała z ziemią czarne martwe drzewa nad przesmykiem niczym wodorosty na dnie strumienia. Tutaj właśnie rozbili biwak, a gdy się położył, zrozumiał, że dalej już nie pójdzie i że to jest miejsce, w którym umrze. Chłopiec siedział i patrzył na niego załzawionymi oczami. Och, tatusiu, powiedział.

Patrzył, jak nadchodzi przez trawę i klęka z kubkiem wody. Wszędzie dokoła niego było światło.

Wziął kubek, napił się i opuścił głowę. Została im jedna puszka brzoskwiń, ale całą kazał zjeść chłopcu, nie wziął od niego ani odrobiny. Nie mogę, powiedział. Wszystko w porządku.

Zostawię ci pół.

Dobrze. Zostaw na jutro.

Chłopiec wziął kubek i odsunął się, a razem z nim odsunęło się światło. Chciał spróbować postawić namiot z plandeki, ale mężczyzna mu nie pozwolił. Powiedział, że nie chce, żeby cokolwiek go przykrywało. Leżał i patrzył na chłopca przy ogniu. Chciał móc widzieć. Rozejrzyj się, powiedział. Nie ma takiego proroka w długich dziejach tej ziemi, który nie byłby dziś tutaj czczony. W jakiejkolwiek formie przemawiałeś, miałeś słuszność.

Chłopcu wydawało się, że wiatr niesie woń mokrego popiołu. Poszedł szosą, a potem wrócił, ciągnąc kawał sklejki z przydrożnego śmietnika, wbił patyki kamieniem w ziemię i zrobił ze sklejki chwiejną pochyłą osłonę, ale w końcu się nie rozpadało. Zostawił pistolet sygnałowy, wziął rewolwer i poszedł przeczesać okolicę w poszukiwaniu czegoś do jedzenia, lecz wrócił z pustymi rękami. Mężczyzna ujął jego dłoń, charcząc. Musisz iść dalej, powiedział. Ja nie mogę iść z tobą. Ale ty musisz. Nie wiesz, co może być za zakrętem drogi. Zawsze dopisywało nam szczęście. I znowu ci dopisze. Zobaczysz. Po prostu idź. Wszystko jest w porządku.

Nie mogę.

Wszystko w porządku. To nadchodziło od dawna. I teraz się stało. Idź na południe. Rób wszystko tak, jak robiliśmy razem.

Ty wyzdrowiejesz, tatusiu. Musisz wyzdrowieć.

Nie wyzdrowieję. Przez cały czas miej przy sobie broń. Musisz odnaleźć dobrych ludzi, ale nie wolno ci ryzykować. Nie ryzykuj. Słyszysz?

Chcę być z tobą.

Nie możesz.

Proszę.

Nie możesz. Ty musisz nieść dalej ogień.

Nie wiem jak.

Owszem, wiesz.

Czy on jest prawdziwy? Ten ogień?

Tak. Jest prawdziwy.

A gdzie jest? Ja nie wiem, gdzie on jest.

Wiesz. Jest w tobie. Zawsze tam był. Widzę go.

Proszę cię, weź mnie ze sobą.

Nie mogę.

Proszę cię, tatusiu mój.

Nie mogę. Nie potrafię trzymać martwego syna w ramionach. Myślałem, że dam radę, ale nie dam.

Powiedziałeś, że nigdy mnie nie zostawisz.

Wiem. Przepraszam. Masz całe moje serce. Zawsze miałeś. Jesteś najlepszym facetem na świecie.

Zawsze byłeś. Gdy mnie zabraknie i tak będziesz mógł ze mną ciągle rozmawiać. Będziesz mógł do mnie mówić, a ja będę mówił do ciebie. Zobaczysz.

Usłyszę cię?

Tak. Usłyszysz. Musisz robić tak, żeby była to rozmowa, którą sobie wyobrażasz. I wtedy mnie usłyszysz. Musisz poćwiczyć. Tylko nie rezygnuj. Dobrze?

Dobrze.

To dobrze.

Tatusiu, tak się boję.

Wiem. Ale nic ci nie będzie. Poszczęści ci się. Wiem to. Muszę przestać mówić. Zaraz znowu się rozkaszlę.

To nie szkodzi, tatusiu. Nie musisz mówić. To nie szkodzi.

Poszedł drogą tak daleko, jak starczyło mu odwagi, a potem wrócił. Jego ojciec spał. Usiadł obok niego pod sklejką i patrzył. Zamknął oczy, zaczął do niego mówić, a potem nadal trzymał oczy zamknięte i słuchał. Później spróbował jeszcze raz.

Obudził się w ciemności, kaszląc cicho. Leżał, nasłuchując. Chłopiec siedział przy ogniu, owinięty kocem, i patrzył na niego. Kapiąca woda. Gasnące światło. Stare sny wkraczające do świata na jawie. Kapanie było w pieczarze. Światłem była świeca, którą chłopiec nosił w podstawce z wyklepanej miedzi. Wosk tryskał na kamienie. Ślady nieznanych istot w umartwionym lessie. Tym zimnym korytarzem doszli do miejsca, skąd nie ma powrotu, a ich wędrówkę można zmierzyć jedynie za pomocą światła, które nieśli.

Pamiętasz, tatusiu, tego małego chłopca?

Tak, pamiętam.

Myślisz, że nic mu się nie stało?

Myślę, że nie. Że wszystko z nim w porządku.

Myślisz, że się zgubił?

Nie, myślę, że się nie zgubił.

Boję się, że się zgubił.

Myślę, że nic mu nie grozi.

A kto go odnajdzie, jeśli się zgubił? Kto odnajdzie tego małego chłopca?

Dobro go odnajdzie. Zawsze tak było. I zawsze tak będzie.

Tej nocy spał blisko ojca, obejmując go, a gdy obudził się rano, ojciec był zimny i sztywny. Siedział i płakał długo, a potem wstał i ruszył między drzewa na drogę. Później wrócił, uklęknął przy ojcu i trzymał go za zimną rękę, raz po raz wymawiając jego imię.

Został trzy dni, a potem wyszedł na drogę i spojrzał w stronę, z której przyszli. Ktoś nadchodził.

Odwrócił się, żeby uciec do lasu, ale nie zrobił tego. Stał i czekał, z rewolwerem w ręku. Wszystkimi kocami okrył ojca, więc był zmarznięty i głodny. Pojawił się jakiś mężczyzna, który przystanął i patrzył na niego, ubrany w szaro-żółtą kurtkę narciarską. Na ramieniu nosił strzelbę zawieszoną kolbą do góry na plecionym skórzanym pasku i miał ortalionowy bandolet z nabojami. Weteran dawnych potyczek, brodaty, ze szramą na policzku, o krzepkiej kości i jednym rozbieganym oku. Gdy mówił, jego usta poruszały się krzywo, tak samo jak wtedy, gdy się uśmiechał.

Gdzie jest ten mężczyzna, z którym byłeś?

Umarł.

Czy to był twój ojciec?

Tak. To był mój tatuś.

Przykro mi.

Nie wiem, co robić.

Powinieneś chyba pójść ze mną.

Czy pan jest jednym z dobrych ludzi?

Mężczyzna ściągnął kaptur z głowy. Miał długie, zmierzwione włosy. Spojrzał na niebo. Jakby tam było coś do oglądania. Popatrzył na chłopca. Tak, odparł. Jestem jednym z dobrych ludzi. Może odłożysz rewolwer?

Nie wolno mi oddawać rewolweru. Żeby nie wiem co.

Nie chcę go. Nie chcę tylko, żebyś we mnie celował.

Dobrze.

Gdzie twoje rzeczy?

Nie mamy dużo rzeczy.

Śpiwór masz?

Nie.

A co masz? Jakieś koce?

Tak, ale tatuś jest nimi przykryty.

Pokaż mi.

Chłopiec stał nieruchomo. Mężczyzna wpatrywał się w niego. Przyklęknął na jedno kolano, zsunął strzelbę pod ramieniem i postawił ją na sztorc na drodze, a potem położył, opierając na czółenku. Naboje w pętlach bandoletu były ręcznie wykonane i zapieczętowane parafiną. Mężczyzna pachniał dymem z ogniska. Posłuchaj, rzekł. Masz dwie możliwości do wyboru. Był spór, czy w ogóle iść za wami. Możesz tu zostać ze swoim tatusiem i umrzeć albo pójść ze mną. Jeśli zostaniesz, nie wchodź na drogę. Nie mam pojęcia, jak udało się wam dotrzeć aż tak daleko. Jednak powinieneś iść ze mną. Nic ci nie grozi.

Skąd mam wiedzieć, czy pan jest jednym z dobrych ludzi?

Nie będziesz wiedział. Musisz zaryzykować.

Czy pan niesie ogień?

Że co?

Czy pan niesie ogień?
Ty jesteś skołowany, co?
Nie.
Tak troszkę?
Tak.
To nic.
No to niesie pan?
Co, ogień?
Tak.
Tak. Niesiemy ogień.
Ma pan dzieci?
Mamy.
A małego chłopca?
Mamy małego chłopca i małą dziewczynkę.
Ile on ma lat?
Mniej więcej tyle co ty. Może jest trochę starszy.
I nie zjedliście ich?
Nie.
Nie zjadacie ludzi?
Nie. Nie zjadamy ludzi.
I mogę z panem iść?
Tak, możesz.
To dobrze.
Dobrze.

Weszli do lasu, mężczyzna ukucnął i popatrzył na szarą, wynędzniałą postać pod pochyłą osłoną ze sklejki. Czy to wszystkie koce?

Tak.

To twoja walizka?

Tak.

Wstał. Spojrzał na chłopca. Idź na drogę i zaczekaj tam na mnie. Przyniosę koce i resztę.

A mój tatuś?

Co twój tatuś?

Nie możemy go tak zostawić.

Możemy.

Nie chcę, żeby ludzie go widzieli.

Tu nie ma nikogo, kto mógłby go zobaczyć.

Mogę go okryć liśćmi?

Wiatr je rozwieje.

A nie moglibyśmy go przykryć jednym kocem?

Ja to zrobię. Idź już.

Dobrze.

Czekał na drodze; wreszcie mężczyzna wyłonił się z lasu, niosąc walizkę w ręku i koce na ramieniu. Przejrzał je i podał jeden chłopcu. Masz, powiedział. Owiń się. Zmarzłeś. Chłopiec chciał mu oddać rewolwer, ale mężczyzna go nie wziął. Trzymaj to, rzekł.

Dobrze.

Wiesz, jak z tego strzelać?

Tak.

To dobrze.

A co z moim tatusiem?

Nic więcej nie da się zrobić.

Chciałbym się z nim pożegnać.

Dasz sobie radę?

Tak.

To idź. Zaczekam na ciebie.

Wrócił do lasu i ukląkł przy ojcu. Mężczyzna owinął go kocem, jak obiecał, i chłopiec już go nie odkrył, tylko usiadł obok, rozpłakał się i nie mógł przestać. Płakał bardzo długo. Będę z tobą rozmawiał każdego dnia, rzekł. I nie zapomnę. Żeby nie wiem co. Potem wstał, odwrócił się i poszedł na drogę.

Kobieta, gdy tylko zobaczyła chłopca, objęła go i przytuliła. Och, powiedziała, tak się cieszę, że cię widzę. Bywało, że mówiła mu o Bogu. Próbował rozmawiać z Bogiem, ale najlepiej było, gdy rozmawiał z ojcem, więc właśnie z nim rozmawiał i nigdy nie zapomniał. Kobieta powiedziała, że to nic złego. Powiedziała, że jego oddech to oddech Boga, co to przechodzi od człowieka do człowieka przez całe dzieje.

Kiedyś w górskich potokach żyły pstrągi źródlane. Widać je było, jak stoją w bursztynowym nurcie, a białe krańce płetw drgają delikatnie w płynącej wodzie. W ręku pachniały mchem. Wypolerowane, muskularne, torsyjne. Na grzbietach miały ślimacznicowate desenie, które były mapami nastającego świata. Mapami i labiryntami. Tego, czego nie można odtworzyć. Czego nie można naprawić. W głębokich dolinach, gdzie żyły, wszelka rzecz była starsza od człowieka i tchnęła tajemnicą.

Redaktor prowadzący
Barbara Górska

Redakcja
Paweł Ciemniewski

Korekta
Ewa Kochanowicz, Krzysztof Lisowski, Lidia Timofiejczyk,
Maria Wolańczyk

Redakcja techniczna
Bożena Korbut

Książkę wydrukowano na papierze Ecco Book 70 g, vol. 2,0

Wydanie pierwsze
Printed in Poland
Wydawnictwo Literackie Sp. z o.o., 2008
ul. Długa 1, 31-147 Kraków
bezpłatna linia telefoniczna: 0 800 42 10 40
księgarnia internetowa: www.wydawnictwoliterackie.pl
e-mail: ksiegarnia@wydawnictwoliterackie.pl
fax: (+48-12) 430 00 96
tel.: (+48-12) 619 27 70
Skład i łamanie: Infomarket
Druk i oprawa: Drukarnia ABEDIK